MONTRÉAL DES ÉCRIVAINS

MONTRÉAL DES ÉCRIVAINS

FICTION

ARCHAMBAULT ● BEAUSOLEIL ● BERTRAND
BOUCHER ● BOULIZON ● BROSSARD
CHAPDELAINE GAGNON ● CYR ● D'ALFONSO
DANSEREAU ● DAOUST ● DAVID ● DELISLE
DESAULTELS ● DESJARDINS ● DUSSAULT
FOLCH-RIBAS ● FOURNIER ● FRANCŒUR
C. GAGNON ● D. GAGNON ● GAUVIN ● GIRARDIN
HAROU ● JACOB ● JASMIN ● KIMM ● LA FRANCE
LEGRIS ● MAJOR ● MASÉ ● MONETTE
MONGEAU ● OLLIVIER ● PELLETIER ● PIAZZA
RENAUD ● ROYER ● SOUCY ● THÉRIO
TURCOTTE ● TURGEON ● YVON

l'HEXAGONE
UNION DES ÉCRIVAINS QUÉBÉCOIS

Éditions de l'HEXAGONE
900, rue Ontario est
Montréal, Québec H2L 1P4
Téléphone : (514) 525-2811

Édition préparée par l'Union des écrivains québécois
sous la direction de : Louise Dupré, Bruno Roy et France Théoret

Le Conseil des arts de la Communauté urbaine de Montréal
a accordé à l'Union des écrivains québécois
une subvention pour la préparation de cet ouvrage.

Maquette de couverture : Jean Villemaire
Illustration de couverture : Josée Lambert
Photos intérieures : Micheline de Jordy, Jean-Louis Desrosiers, Josée Lambert

Photocomposition : Deval-Studiolitho Inc.

Distribution : Québec Livres
4435, boulevard des Grandes-Prairies
Saint-Léonard, Québec H1R 3N4
Téléphone : (514) 327-6900, Zénith 1-800-361-3946

Réplique Diffusion
78, rue d'Aubervilliers, 75019 Paris, France
Téléphone : 42.39.58.74

Dépôt légal : quatrième trimestre 1988
Bibliothèque nationale du Québec
Bibliothèque nationale du Canada

TYPO
Édition originale
© 1988 Éditions de l'Hexagone et Union des écrivains québécois
Tous droits réservés pour tous pays
ISBN 2-89295-032-5

PRÉSENTATION

Montréal est devenu un carrefour où se rencontrent diverses cultures, diverses valeurs et tendances : il est donc aujourd'hui primordial de faire connaître la vision propre aux écrivains de la principale ville francophone d'Amérique. Voilà pourquoi l'Union des écrivains québécois a décidé de lancer le projet d'un *Montréal des écrivains*. Il s'agit d'une initiative originale et inédite.

Pour cette première parution, ce sont les auteur(e)s habitant sur le territoire de la Communauté urbaine de Montréal qui ont été sollicités : on peut comprendre pourquoi. Grâce à leur participation enthousiaste, quarante-trois textes vous sont présentés. C'est ainsi que des nouvelles, des récits autobiographiques s'appuyant sur le passé comme sur le présent, des témoignages, des fictions, des poèmes en vers, des poèmes en prose et même un conte pour enfants proposent un imaginaire montréalais décrit par des femmes et des hommes appartenant à des générations et des milieux fort variés. L'intérêt d'un recueil comme celui-ci n'est-il pas lié à la multiplicité des points de vue ?

Pourtant, des constantes se dégagent. On aime la ville. Marcher permet de retrouver des perceptions, des souvenirs, d'avoir conscience des plaisirs à vivre la ville. Montréal apparaît comme une agglomération de quartiers. Les rapports humains s'y développent, la convivialité existe : elle renvoie à un sentiment d'appartenance. Il se dégage de cette lecture une vision d'un Montréal courtepointe. Il est intéressant de noter qu'à tenter de découvrir un signe qui identifierait globalement Montréal on n'y arrive pas. Certes, l'histoire démographique de la ville est récente, elle reste à faire, son identité à préciser dans le choc des différents univers, des différents quartiers. La ville est en constante évolution, sa physionomie n'est pas totalement fixée.

Cependant, l'axe est-ouest passant par le boulevard Saint-Laurent est encore présent dans l'imaginaire, comme division linguistique, culturelle et sociale. D'ailleurs, la question linguistique reste un problème qui inquiète les écrivains.

Il est étonnant de lire que Montréal n'est pas l'hiver ! On tait l'hiver. On préfère raconter une ville verdoyante, mais on déplore de ne pas voir le fleuve. Montréal est une île, les Montréalais, des insulaires qui n'ont pas accès au Saint-Laurent. Tout compte fait, Montréal reste un espace habitable et ouvert à la fiction.

Bien sûr, les écrivain(e)s qui n'habitent pas Montréal ont certainement à dire sur la ville, eux aussi. C'est pourquoi les Éditions de l'Hexagone s'engagent à donner suite : elles envisagent déjà un deuxième tome. Et qui sait, Montréal change, les regards changent, il pourrait y avoir une collection « Montréal des écrivains » !

Louise Dupré
Bruno Roy
France Théoret

GILLES ARCHAMBAULT

Puisqu'il faut naître quelque part…

Je ne peux m'absenter longtemps de Montréal sans ressentir au fond de moi une angoisse certaine. Les premiers jours vécus à New York, San Francisco ou Paris sont toujours exaltants. Ce sont des villes que j'aime retrouver à périodes régulières. J'y suis comme en congé de moi-même, perdu dans des rêves. Arrive pourtant un moment où mon exil ne m'amuse plus. Mon voyage a été une distraction souhaitée certes, parfois ardemment, mais c'est à Montréal que tout se joue pour moi. Je rêve ailleurs, je vis à Montréal.

J'ai cessé depuis belle lurette de me demander si Montréal est une « belle » ville. Lorsque, devant chaperonner des étrangers, je leur offre en quelque sorte le tour du propriétaire, je suis frappé chaque fois par ses laideurs. Je côtoie à longueur d'année ses rues bordées d'immeubles qui paraissent en si piteux état qu'on craindrait qu'un vent un peu violent ne les balaie incontinent. Je connais bien ses trottoirs éventrés que j'arpente sans répit. Ses affiches criardes me proposent un anglais qui m'agresse et un presque français qui me hérisse. Certains de ces étrangers aiment Montréal au premier coup d'œil, d'autres se rebiffent. Je ne m'en offusque plus et ne tente rien pour les con-

Né le 19 septembre 1933. Réalisateur et animateur de radio, il habite au centre-ville. *Stupeurs,* proses, 1979. *Les plaisirs de la mélancolie,* chroniques, 1980. *L'obsédante obèse et autres agressions,* nouvelles, 1987.

vaincre. Le pacte que nous avons signé, Montréal et moi, interdit les interrogations trop poussées. On ne peut convaincre personne de toute manière. Puisque je suis né dans cette ville et que j'y mourrai très probablement, je l'accepte en bloc.

Mon territoire a commencé par être le sud-ouest de Montréal. La Côte-Saint-Paul avait d'abord été un village, elle était devenue quartier quelques décennies auparavant. Du village, elle avait gardé la quiétude, les mœurs plutôt étriquées. Les familles s'épiaient avec constance et n'étaient pas tendres pour ceux qui s'écartaient de la norme. Les délinquants étaient montrés du doigt et il y avait des enfants non fréquentables parce que le père se retirait parfois derrière les barreaux et que la mère recevait des messieurs à domicile. Dans ce petit monde ouvrier, on calquait sans le savoir celui des bourgeois, on était catholique massivement, avec ou sans ferveur. On quittait rarement le quartier. Le faisait-on qu'on se rendait spontanément au centre-ville afin d'y baragouiner l'anglais. L'est de Montréal nous était terre inconnue.

Ainsi donc l'apprentissage de cette ville que je tiens pour mienne a-t-il été long. Il faut dire que mon père possédant une auto — privilège remarqué — je connus mieux les Laurentides que Montréal jusqu'à l'âge de douze ans. Il a fallu que le goût de la lecture s'empare de moi pour que je me rende un samedi après-midi à la librairie *Pony*, rue Sainte-Catherine est. Je ne dirai rien de la frayeur qui s'empara de moi lorsque je dus affronter la commise imperturbable qui me demanda d'un ton sec quel livre je voulais. Il n'était pas question de bouquiner. Je devais avoir l'air louche.

Pourtant, avant d'entrer dans la boutique j'avais eu le sentiment d'être « ailleurs ». Il ne suffisait pas d'être né dans un milieu d'ouvriers et de petits fonctionnaires pour se sentir à l'aise. La pauvreté était là plus affichée, plus visible que dans mon quartier, dont l'aisance était pourtant fort relative. Les visages avaient cet air humilié que je rencontrais pour la première fois. Peu de voyages effectués plus tard dans des contrées éloignées m'ont apporté pareil dépaysement. Plusieurs années m'ont été nécessaires pour apprivoiser ce nouveau secteur. À l'adolescence, je me suis cru affranchi parce que je fréquentais des boîtes minables du secteur.

Bien des années ont passé et je ne déambule jamais rue Saint-Denis à cette hauteur sans ressentir un pincement au cœur. Les humiliés de jadis ont été remplacés par des mendiants, des immeubles ont été rasés, je suis devenu un quinquagénaire. Et je prétends aimer Montréal…

Je ne suis pas tellement différent de l'enfant que j'ai été. Si alors je ne quittais pas mon quartier, je n'ai connu du Québec, à l'âge adulte, que la ville que j'habitais. L'épisode des Laurentides est clos depuis longtemps. Il y a une vingtaine d'années, pour des raisons dites de fierté nationale, je me suis efforcé de croire que tout le territoire québécois était mien. Je rêvais de randonnées de reconnaissance que je n'ai faites qu'à moitié. Aujourd'hui, mes connaissances géographiques québécoises sont lamentables. J'ai un peu honte à le confesser, mais ce n'est pas sans hésitation parfois que je fais la distinction entre Rimouski et Chicoutimi. Je suis un Montréalais impénitent.

Il y a une douceur de vivre à Montréal. Que je ne saurais expliquer du reste. Je n'ai pas en tête en tout cas une certaine courtoisie dans les rapports. Les Montréalais ont perdu peu à peu cette délicatesse-là. Dans les services publics on est volontiers féroce, les automobilistes y sont hargneux. Comment expliquer alors l'apaisement que je ressens au retour d'un voyage? C'est avec timidité que j'avance que ce sentiment tient peut-être de ce que, connaissant les défauts de ma ville natale, je sais les affronter ou les contourner avec une certaine efficacité. Cette ville ne me surprend jamais. On a eu beau la modifier, lui donner des allures de ville americaine, je ne cesserai jamais de voir en elle le lieu de mon enfance et de mon adolescence.

Nostalgique de nature, j'aime revenir sur mes pas. C'est l'inaltérable qui me retient. Que l'on multiplie les gratte-ciel, les complexes immobiliers en tous genres si on le souhaite, ce sera toujours une enfilade de maisons de deux ou trois étages en brique rouge qui symbolisera pour moi Montréal. Ce fut mon paysage quotidien pendant longtemps. Par la suite, j'ai connu la banlieue, le Vieux-Montréal.

Peut-on rester indifférent à une ville quand on a vécu en elle depuis plus de cinquante ans? Je ne le crois pas. Et puis il y a le mont Royal qui veille sur nous. On nous l'envie, paraît-il.

CLAUDE BEAUSOLEIL

Sans fin Montréal

Montréal, lumineux réseaux, luisants pavés,
Ruissellement diffus des faisceaux de lumières.

Clément MARCHAND, *Soir à Montréal*

Sans début et sans fin Montréal m'habite
Si je vais dans la rue au cœur de la projection
    ce n'est pas
Pour nier l'épreuve du désir c'est bien plus pour faire
    chavirer
Les circonstances   dispersant la scène   dans la
    réalité
Car je vois dans cette rue les signes et le témoin d'ersatz
    du singulier
La vie s'y aventure en calmant les néons c'est l'heure
    c'est l'heure
Répète le poème dans Montréal aux prises avec ses
    permissions
On l'a laissé errer ce monologue qui se perd en tous par
    la voix
Du temps quand les autos deviennent le crépuscule
    et que

Né le 16 novembre 1948. Professeur, il habite sur le Plateau Mont-Royal. *Extase et déchirure*, poésie, 1987. *Travaux d'infini*, poésie, 1988. *Grand hôtel des étrangers*, poésie, 1988.

D'autres visions s'échappent et vont refaire vers la place
   élargie.
Près des landrettes des âmes des dépanneurs des
   bureaux
De poste des restaurants des anges la seule cérémonie
   que la nuit
Puisse admettre quand je suis si près de toi Montréal
Et que la mémoire t'éclaire sous les arbres si bas
   pendant
Les heures devenues chant ou lenteur vers le moment si
   beau
Dont le regard se rappelle ailleurs la rêverie
   redisant que
Montréal est une ville aux matins éclatés une légère
   vapeur
Les parcs les autos le rituel reprend en lui le travail
Et le fleuve circulant dans la ville pour apprendre les
   corps
Cette lettre à ma ville je la veux emportée sincère et
   haute
Comme les mots qu'elle remue pour bien montrer son
   style
Des vérités la marque elle parle directement d'imaginer
D'imaginer et l'origine est touchante les mots plus doux
Est-ce Saint-Jacques Saint-Louis Centre-Sud ou Laurier
   c'est étrange
Cette ville connaît mal ses frontières elle va elle vient
Sans se soucier des lignes écrivant des adresses à grand
   coup
D'intuition je ne sais que le nord le sud l'ouest ou l'est
Attendant l'autobus après les heures de pointe dans un
Silence soudain obscur comme une trahison et c'est

Le regard ailleurs des vieillards le regard neutralisé des
    immigrés
Celui réel du poème toutes ces ressources des angles
    fous
Et ces dérives m'apportent de la vie une vague
    explication
Qui tourne le coin plus désinvolte que le parc
    déployé dans
Des allées aux lampadaires jaunes images indéfectibles
    des lunes
Du couchant dont les klaxons imitent les formules
    secrètes
Quand des fleurs trop ouvertes annoncent la plus belle
    des nuits
Dans la ville en exil dont les parfums fuient des fenêtres
Les stores blancs du temps les ayant calfeutrés sous des
Lampes halogènes perdues vers les plafonds quand la
    vie
Fait des ombres derrière les canapés les entrées de
    parking
Les trottoirs raboteux tous ces souffles de
    ma ville quand
Le cri des soirs vient par nuages très bas striant de loin
Les horizons jetés vers le Nord sur des affiches par-delà
Les autoroutes aux certitudes idiotes le métro bleu ou la
Ligne plus blanche sous les ponts quand des cavernes
    modernes
Engloutissent le temps retenu dans des chocs mimant
    des TV
Dont les gestes de sentinelles prennent la soirée d'assaut
C'est dans tes rues croisées que j'ai appris à voyager
    Montréal

Et je pars pour toujours dès qu'on me le permet ma
    mère avait
Compris et je reviens pour toujours quand l'image
    s'effrite
Les billets d'autobus étaient une chose à part un complot
Ne touchant ni mes dépenses ni le langage de la
    demande
Je savais dans la cuisine où se cachait l'entente
C'était tacite presque banal comme une nécessité
Et je pouvais partir comme ça à l'infini précisément seul
Dans Montréal grinçant sur ses voies de métal fausses
Pistes d'un itinéraire changeant les quartiers
    défilaient leurs
Architectures presque confondues à l'air humide de l'été
Et j'allais au plus loin du voyage au bout des terminus
Cartierville Papineau Frontenac après le petit pont
J'aimais me perdre dans ces déplacements observant
Les vitrines les figures les percées de rues
    soudainement
Découpées à un arrêt et j'étais au centre de toi Montréal
Né d'ici dans ces pentes ces rues aux maisons de
    briques
Ces ruelles de bois dont les hangars encore me parlent
De donjons aux cachettes noires d'araignées silencieuses
Qui sont-ils ceux qui vont sur les bancs de cuirette
Ma mémoire est de jonc doré aux coins arrondis par les
    mains
Et le soleil qui tasse ses rayons sur les devantures
    chargées
Des retombées du soir quand il me faut revenir vers
    Pie-IX
En quelle année ces bribes ces rives d'un peu d'angoisse

Des balcons frais peints les jardins italiens protégés par
     des pneus
Les parterres de la ville aux saint-joseph jaunes
     fixent les
Rosaces craquées les trottoirs inégaux toujours à
     recommencer
Boursouflés d'hiver effrités fissurés patchés d'asphalte
Le sol de Montréal respire dans le désordre souvenir
D'un volcan chimère sourire refusant le trop-plein
     d'ordre
L'ensemble hétéroclite redit finalement de déporter
Ces signes dans la robe plus blanche de l'ange qu'un été
A bruni aux tendons à flanc de montagne s'élançant
Image calme d'un vertige qui danse sous le ciel flexible
Au-dessus du vert des pelouses des corps bronzés des
     transistors
Montréal s'invente les poses qui lui plaisent cette ville
À son rythme ses cadences ses heures Montréal en un
     sens
Définit nos ailleurs tout s'y mêle en des contraires
     presque civilisés
L'instinct nous a donné des rires et des douleurs
     un lieu à
Investir de rêves quotidiens Montréal est une ville plus
Facile qu'un taxi elle trace le futur dans ses terrains
Vagues entrecoupés de blocs d'escaliers et de discontinu
J'aime aller dans ses rues si vides le dimanche
Tout me paraît possible et cette douceur étrange
Montréal s'étire dans toute sa nonchalance ses
Excès ont toujours quelque chose d'apprivoisé ses corps
Colorent l'écran jusqu'à tard dans la nuit quand les
Câblosélecteurs découvrent l'Amérique sans trop s'y
     attarder

Montréal a de drôles de toits dont on ne parle jamais
Des aires de vent incontrôlables comme le passé
Une façon inattendue de changer de vêtements de
     repeindre
Les murs de mêler les effets d'installer des mirages
Montréal a le pouvoir de nous changer et
     sa mémoire est
Rebelle à ce qui la poursuit elle s'amuse à jouer les
Écarts c'est son droit cultive des palmiers ignore les
Sapins placarde ses peines d'amour dans la bouche
Du métro pleure dans le petit brouillard parfois
Sous le grésil le vent blanc cassé dans le silence
Sauvage quand la ville n'est plus une ville au bord
De l'impensable *où vis-je où vais-je* dans cet espace
Quand ce n'est plus le hasard mais la force du temps
Spiralé ouvert sur les rouages de cette ville envahie de
Mystère soudain rendue à son feu votif mémoire
Blanc de mémoire les buildings les fumées
Un paysage errant dans l'interdit de l'île sous le gel
En chacun des secrets dans une langue gercée
Le présent d'un hors temps sans contrainte sans
Limite tellement tout a basculé fiction blanche
Rafale surgie de nulle part avec une lueur chaude
Retenue au-dedans des ruses et des mots serrés
C'est le soir ou la nuit peut-être le petit jour les
     journaux le diront
Montréal est une ville de poème vous savez

CLAUDINE BERTRAND

La rue réclame sa propagande

I, etcetera
Susan SONTAG

Je déambule rue Saint-Denis
les affiches me harcèlent
comme des textes défectueux
scandale pourquoi pas ?
l'express au printemps dix versions
pour un seul lecteur attardé
coin de la Colombie le rideau vert
clinique métropolitaine en usage
tic-tac réparation j'arrive
avec tous les trucs de la modernité
à vendre dépanneur de bonne humeur
scandale pourquoi pas ?
une impression de décousu
le café du cheval volant
soleil bronzage rien de neuf
le petit bar nuage bleu-nuit
institut de beauté délicatessen
intertextualité et néologismes douteux
maison pour touristes l'échange

Née le 4 juillet 1948. Professeure, elle habite à Notre-Dame-de-Grâce. *Idole errante,* poésie, 1983. *Memory,* poésie, 1985. *Fiction-nuit,* poésie, 1987.

disques et livres usagés
boutique pistache kaléidoscope voyeur
plaisir d'offrir au lecteur anonyme
les boulamites à la fine pointe
d'une lecture superficielle
cinéma du carré rien de neuf
l'érotisme cette semaine déjà vu
délicatessen plaza sur la sororité
bijoux de mer Gargantua et caetera
apportez votre vin Pantagruel
la bonne santé par les plantes
les meilleurs remèdes
à ma peau pressée
mais il faut continuer
même si on n'apporte rien de neuf
grizzly fourrures usagées
j'attends le feu vert à l'infinitif
la fraîcheur en trois heures
café bar après moi maintenant
scandale pourquoi pas ?
Saint-Denis hurle ses affiches
chemin faisant auprès de ma blonde
le funambule un jardin en plus
médecin vétérinaire bienvenue
fourrures neuves et d'occasion
tout est en solde à feu et à sang
galerie d'art vivant
mode androgyne unisexe
salon de thé chez Babou
j'entre me réchauffer à l'ombre
bronzage sans peau blême
Casablanca la papaya
les souvenirs esthétiques

galerie aube 3935
il se fait tard
café blitz et je crie
la photo de la semaine
scandale pourquoi pas ?
Orphée ne pas stationner
structure métamorphose
bain de folie après l'éden
décalcomania la rue raison sociale
le cirque buanderette l'entresol
sous zéro bar latin local à louer
club privé de backgammon
studio de la société d'opérette
l'escale bretonne où suis-je
galerie de bouquinerie
je marche toujours
dans le sens des affiches
imperial Esso mise au point
et de l'Art moderne mousse au saumon
monsieur sous-marin location de vidéo
boutique de sexe table d'hôte azimut
au vieux Munich hôtel américain
l'axe la bibliothèque nationale
danseuses nues super spécial
la plantafolie chez Achille
Hubert Aquin tentation du chef
hôpital Saint-Luc attendez le feu vert
scandale pourquoi pas ?
the solution is not the solution
je traverse à reculons pour mieux voir
les recherches l'ont prouvé
l'affichage c'est payant
scandale c'est touchant…

DENISE BOUCHER

Un 25 mai

Ainsi, comme tous les jours, autour de midi, l'écrivaine se retrouve devant la fenêtre de sa salle à manger qui donne sur des jardins et le croisement de deux ruelles.

Au matin, elle n'a rien écrit de bon. Alors, elle tremble, debout, dans la clarté, un café à la main.

Nulle part au monde, le ciel n'est aussi haut. La lumière du nord expose à un immense espace vertical. À ses risques et périls. Un simple regard levé et ce peut être la perte. Car alors, le vertige officie et la rencontre même d'un ange ne surprend pas.

Pour ne pas succomber tout de suite, en pareilles circonstances, elle utilise son meilleur paraciel, les arbres. Elle observe les crêtes des érables qui dépassent les maisons sur ce coin du Plateau. Elles sont touffues. Les samares mûres hélicoptèrent le vide. Elles sont pleines de santé, de vitalité et de vivacité. Il neige un tourbillon de petites ailes. C'est un hymne à l'abondance qui durera une bonne semaine, pour sa joie et le désespoir de la voisine d'en bas qui voudrait bien qu'on rafle tous les érables parce que, le printemps et l'automne, ils font des malpropretés qu'avec son balai au fur et à mesure elle entasse, tout en faisant la guerre aux chats et aux enfants.

L'écrivaine songe à l'absurde qui finit par avoir raison

Née le 12 décembre 1935. Écrivaine, elle habite sur le Plateau Mont-Royal. *Retailles,* essais/fiction, 1977. *Les fées ont soif,* théâtre, 1978. *Lettres d'Italie,* 1987.

encore une fois et nous oblige dorénavant, malgré les désirs de sa propre voisine, à bâtir la campagne à la ville. Sous l'effet des pluies acides, les érablières crèvent de partout dans le pays. Mais ici, dans notre urbanité, les arbres ne sont pas touchés. Les poussières de béton qui s'élèvent tout au long du jour, vers le haut, neutralisent les acidités des nuages.

En lutte contre l'appel frénétique du grand espace vertical, l'écrivaine avale une vitamine B, boit un autre café et regarde par terre.

Chez le docteur Georges Duhamel, les lilas fleurissent. Les vivaces sortent de terre. Le phlox pointe ses couleurs dans la cour de l'infirmière. Le chèvrefeuille grimpe au mur du comptable. Des clématites s'agrippent à la brique rouge de la professeure. Des vignes s'accrochent aux clôtures Frost d'un communicateur. Dans un racoin, chez la peintre, le myosotis bleuit et déjà les pavots dressent de frêles tiges sur un feuillage robuste.

Des deux ruelles grouillent des gestes augustes. Derrière les façades de la rue Saint-Hubert, de la rue Saint-André et de la rue Marie-Anne, de la montagne au parc Lafontaine, les yuppies retournent la terre, piochent, bêchent et allègent la glaise montréalaise avec de la vermiculite. Les lupins sont aussi hauts que ça. Des boîtes à fleurs se multiplient sur les balcons au-dessus des escaliers de fer en spirale.

C'est dans les ruelles que l'on voit que les temps ont bien changé au cours des dernières années. D'abord, on a démoli les hangars dont on n'avait plus besoin pour les réserves de charbon et d'huile, presque tout le monde s'est mis à l'électricité. On a fait place à la verdure, au jardin, au potager sous l'influence des immigrants italiens et portugais qui, de la moindre parcelle de terre, faisaient déjà, eux, jaillir à portée de main leurs tomates, leurs poivrons et leurs haricots.

Derrière les maisons, on installe des tables à pique-nique, des parasols, des hibachis. C'est la campagne.

Devant, c'est le béton. La cité. L'autre utilité.

L'écrivaine finit son café devant sa fenêtre sans rideau. Elle pense qu'à Paris le ciel est juste par-dessus les toits et que c'est peut-être pour cela qu'on y écrit différemment. Un ciel bas vous ramène plus vite à vous-même.

Le téléphone sonne. C'est son amie la potière qui veut aller magasiner sur la rue Saint-Laurent. À pied. Il fait si beau. C'est d'accord.

L'écrivaine lève les yeux au ciel. Pas un nuage. Elle cède au vertige des hauteurs. Elle se sent tout allongée comme un personnage de Giacometti. Un tout petit personnage pourtant. Fragile. Le long espace vertical la happe à tout coup. Dans cinq minutes, en marchant sur la rue Saint-Hubert vers l'avenue du Mont-Royal, elle sera devenue mégalomane. Elle accepte. C'est bien, parce que c'est toujours sur les trottoirs qu'elle mène avec le plus d'assurance sa business avec les gens qu'elle rencontre. Qu'elle accepte des propositions de conférences ou qu'elle met au point des idées folles de voyages qui marchent une fois sur deux.

Juste avant d'arriver chez la potière qui a son atelier au coin de la rue Saint-Dominique, au-dessus d'une taverne, où elle pétrit, pour une prochaine exposition à la galerie *Pink* de la rue Notre-Dame, des déesses, des gardiennes de la nuit, du soleil, de la lumière, l'écrivaine s'arrête devant la vitrine d'une friperie. Aujourd'hui, on y montre des souliers à talons hauts si grands qu'ils devraient lui faire. Elle entre, les essaie. Ça va. Combien ? Deux dollars. Quelle merveille ! De belles sandales blanches italiennes ! Des vrais souliers de madame déjà portés et qui, bien amollis, ne blesseront pas. Et de belles bottes grises, pour le même prix.

C'est un bon quartier où les artistes et les béesses peuvent toujours s'habiller dans les magasins de seconde main ou chez les grossistes.

La potière attend devant sa porte, avec son fils Adam dans le pousse-pousse. Le trio descend la rue Saint-Laurent. La potière regarde vers le haut et s'exclame : « Quel ciel ! » Mais l'azur ne l'accapare pas. Elle voit son fils roulant au ras du sol. Elle parle de lui.

« Il a juste sept mois et il a déjà une réputation. Il est en santé. Il est beau. *Thank God,* il aime son père ! Je fais un *trip* d'hommes. Mon père l'appelle Sam et il est devenu sa religion. Je me sens encore comme une grosse hormone. C'est peut-être pour cette raison que je suis en train de manipuler des déesses. »

La potière achète des gros haricots rouges et de la saucisse piquante, chez le Portugais. Parce que ça lui rappelle le Brésil. Elle dit que le son du Brésil, c'est le mijotage des haricots, dans chaque maison, chaque avant-midi. C'est un son avec un parfum de cumin.

Chez l'Espagnol, on prend des olives farcies aux anchois. Arrêt au gros magasin *Warshaw* où sont arrivées de grandes brassées de basilic d'Israël. On n'aura pas à attendre l'automne pour se faire des vaisseaux de pistou. La rue Saint-Laurent chambarde les rituels des saisons et des lieux. On y débarque autant en pleine Grèce, qu'au Viêt-nam, qu'en Amérique du Sud, qu'en Russie. Des *tacos,* du *feta,* du riz parfumé de Thaïlande, de la canne à sucre.

En sortant d'une espèce de quinze cents tenu par un Pakistanais, Adam a pris à notre insu un serpent dans un panier. Il est en plastique avec une consistance de loukoum. L'enfant et le serpent monopolisent tous les regards. Il le tient fermement dans sa main. Dans un landau, nous avons une image sacrée. Cela crée une grande émotion sur les passants. Nous les regardons regarder Adam. De quel côté de l'enfance sommes-nous ? Ou de la terre ? Sous un ciel si haut.

La potière doit rentrer. À quinze heures trente, elle doit retirer de son four « la gardienne des gardiennes ».

L'écrivaine retourne chez elle par les ruelles. Pour voir jusqu'où les compulsifs de la terre urbaine auront poussé leurs conquêtes cette année. Pour apprendre de nouveaux noms de fleurs qui n'avaient jamais poussé ici auparavant. L'été est si chaud à Montréal qu'on peut même y voir fleurir de l'hibiscus et autres exotismes.

Quand elle s'accroche à la terre et au béton, l'écrivaine double ses territoires et garde contact avec l'humain. Alors, la perdition céleste recule. Et puis c'est maintenant l'heure où le ciel lui-même est amoureux du mois de mai. Ça se décrypte aux terrasses des cafés et dans les balançoires des arrière-cours.

L'écrivaine monte chez elle préparer l'apéro. La marijuana verdit déjà sur son balcon. Avec un verre de. Un pastis avec du jus d'orange ? Elle relit ce qu'elle avait écrit au matin. Par la fenêtre, elle voit son amant qui lui fait signe. La monture de Don Quichotte est un vélo. Elle met une cassette. Gerry Boulet chante. Et il y a un ange juste au-dessus de la table.

GUY BOULIZON

Ah ! prendre le thé à Outremont !

En France, on nous avait dit : « Venez donc au Canada, vous verrez… Quelle vie fascinante ! Ah ! prendre le thé à Outremont, c'est quelque chose ! »

Tout cela se passait il y a cinquante ans. Avant la guerre. À des années-lumière. « Le thé à Outremont ? » Ça nous laissait pas mal froids : nous ne buvions que du café. Sauf les jours de grippe, avec pas mal de rhum…

Pourtant, au mot « Outremont », quelque chose, bizarrement, avait « cliqué » en nous. Ces trois syllabes nous semblaient à la fois démodées et pleines de mystère. C'était un mot un peu proustien, dans le genre des noms des villages normands des *Jeunes filles en fleurs*.

Notre arrivée à Outremont, fin août 1938, fut pour nous deux comme un prélude à une deuxième naissance. Moi, ce qui me séduisait, c'étaient ces rues larges, aérées, qui se coupaient à angle droit, bordées de jeunes érables, d'ormes séculaires et de quelques hêtres argentés qui, déjà, voyaient rougir leurs feuilles extrêmes. Les ombres portées sur la chaussée rythmaient notre marche régulière et scandaient ce qui n'aurait pu être, chez moi, qu'une simple douceur de vivre.

Ce qui réjouissait ma femme, c'était la variété des

Né le 15 mai 1906. Professeur, il habite à Outremont. *Le paysage dans la peinture au Québec,* essai, 1984. *L'artisanat créateur au Québec,* essai, 1986. *Stanislas, journal à deux voix* (avec Jeannette Boulizon), essai, 1988.

frontons qui surmontaient les perrons-galeries. Toute l'antiquité classique était là. En plus du victorien anglais, les porches fascinaient Jeannette : du dorien, mais aussi un peu d'élégant ionique et, là-bas, sur cette voie que le maire Beaubien qualifiait de « spectaculaire boulevard Dollard », du corinthien… Oui, ma chère, du corinthien, avec ici et là des lucarnes palladiennes ! On était comblés !

L'atmosphère de ce quartier était provinciale, feutrée : tout ce que nous recherchions après la vie rugissante du Montparnasse d'avant-guerre. Nous étions ravis. Pas du tout désorientés par la nouveauté des topographies. « Tout est si simple, écrivions-nous, le soir, à nos familles. Un damier, au numérotage régulier, tout est nord-sud, ou est-ouest. »

Nous avions redit cela à un docteur qui écrivait des livres (certains l'appelaient Ringuet, d'autres Panneton). Il avait bien ri : « Ah ! Vous croyez cela ! Nord-sud ? Est-ouest ? Ce serait beaucoup trop facile. Sachez qu'avec nous, malgré les apparences, rien n'est jamais facile, surtout si nous parlons à des Européens. On nous croit tout simples (même simplistes !). On nous pense naïfs. Chez nous, c'est une stratégie. En réalité, nous sommes complexes. On nous croit transparents, tout d'une pièce, c'est pour mieux vous dérouter… pour mieux vous dévorer, mon enfant ! Ce nord-sud ? C'est du nord-est ! Ces numéros réguliers ? Oui ? Eh bien, continuez la rue Wiseman jusqu'au-delà de Van Horne, vous passerez de 900 à 8000 ! Et, sur Durocher, les numéros du côté ouest ne correspondent pas à ceux du côté est. Et puis cette quadrature à angles droits qui vous enchante ? Allez vous promener sur Elmwood, sur les rues d'Outremont-en-haut, ou du côté de la rue Kelvin, vous aurez toutes les chances de vous égarer. » Le docteur avait ri très fort. Nous aussi, mais ne savions pas très bien pourquoi.

Certains affirmaient que la Providence s'était montrée généreuse face à Outremont et à son quadrillage : toutes les rues nord-sud, curieusement, sont des rues créatrices. On y trouve les ateliers des peintres, des verriers, des sculpteurs, des écrivains. Mais les rues est-ouest sont les canaux de diffusion : les galeries, les encadreurs, etc. Avec les années, la Providence a peut-être changé de perspective… mais rien n'est jamais définitif à Outremont.

Nous continuons à visiter. Méthodiquement. Presque religieusement. Le soir, alors qu'autour des lampadaires verdâtres des myriades de moustiques et de moucherons exécutent leur ballet, nous découvrons de nouvelles rues. Terrasses, galeries. Ruissellement de bavardages, de rires. De perron en perron, tout bruit comme une rumeur de convivialité. Les gens nous regardent cheminer, se taisent à notre passage, puis, sans doute, commentent à mi-voix ces étranges étrangers que nous sommes (en plein été — ou presque — chapeaux, souliers vernis, vestons… capotés ces gens-là !).

Mais il arrive que quelqu'un nous sourit… et, égarés, nous osons demander notre chemin : « Où se trouve la rue Wiseman ? » On hésite à nous répondre. « Vous demandez quelle rue ? » Nous prononçons le mot avec un tel accent que l'on nous envoie à Westmount… C'est la fin de tout ! Bientôt, tout le monde connaît ces Français inlassables qui, entre-temps, ont compris : en bras de chemise, en sandales, en petite jupe, les cheveux au vent. On s'apprivoise.

Nous sommes très occupés — presque débordés — par l'ouverture prochaine du collège Stanislas. Des échos contradictoires parviennent jusqu'à nous. Car, s'il y a tous ceux qui sont pour (ceux qui nous ont fait venir), il y en a aussi pas mal qui sont contre : en particulier les clercs incontournables des collèges religieux. Certains Pères du Brébeuf se moquent très fort de l'entrepôt que les notables d'Outremont nous ont proposé, rue Rockland. « Même le Bell Téléphone n'en voulait plus ! » Évidemment, cela fait misérable, comparé au grand fronton classique à colonnes du collège jésuite.

« C'est vrai, c'est pas luxueux, dit le sénateur Dandurand. Les parents feront un choix. On verra… » Nous nous consolons avec cette ville d'Outremont qui nous a vraiment conquis, où il nous semble qu'il fera bon vivre.

Quand, en fin d'après-midi, nous sortons du collège-entrepôt (un vrai chantier !), nous repassons par ces rues qui, à la première heure, nous avaient fascinés : Stuart, Wiseman, Dollard. Le soir, nous écrivons : « C'est dans un quartier très "culturel", presque historique, que nous vivons : Stuart, c'est le nom de la célèbre reine ; Wiseman, le nom du cardinal qui a écrit le roman *Fabiola* universellement connu. Dollard ? Nous ne savons pas encore… » Dès le lendemain matin, nous déchantons. Le docteur Longpré, avec un humour décapant, remet tout au point : « Pas de reine d'Angleterre dans le paysage, pas de cardinal ; Stuart, c'est le nom d'une parente à Beaubien ; Wiseman, c'est celui de l'agriculteur qui possédait le terrain ; quant à Dollard, aucun rapport avec le Long-Sault. »

Nous restons silencieux. Et nous décidons d'explorer les terres au nord de Van Horne. Des voies ferrées, des terrains vagues, des rues qui avortent. Impossible de retrouver le passage à niveau par où rejoindre la rue Rockland, des rames de « gros chars » immobiles nous isolent de notre monde… Nous revenons par l'avenue du Parc. Très en retard.

Notre chambreuse, intriguée, impressionnée, nous

transmet un message téléphonique arrivé l'après-midi : « Vous êtes invités, dit-elle, à veiller, ce soir même, dans une famille du Haut-Outremont, là-haut, dans la montagne… des gens huppés, savez-vous ! »

Étonnante soirée, qui nous marqua par la qualité de quelques heures parfaites. Nous découvrons, du premier coup, face à cette grande bourgeoisie ultramontaine, une tout autre image que celle que quelques « intellectuels » ricaneurs, prétendument libérés, nous avaient annoncée, sur le bateau qui nous amenait au Canada.

Les gens qui nous recevaient ce soir-là (et dont les arrière-grands-parents vivaient à Outremont depuis le jour, en 1875, où le village était devenu municipalité) étaient vraiment d'une « culture » incroyable, au meilleur sens du mot, sans aucune de ces réserves que font habituellement les gens qui se croient, qui se savent, qui sont des gens avertis.

Un couple chaleureux, communicatif, s'intéressant à tout. Ouvert. À la première minute, le contact s'établit. Nos hôtes, quelques années plus tôt, avaient passé plusieurs mois à Paris. Ils logeaient à Montparnasse, tout près de notre petit studio ! Quelle histoire ! Nous avions eu le même boulanger, la même crémière, le même charcutier, créateur du fameux boudin blanc aux truffes. Ça, ça crée des souvenirs ! Bien plus que le tombeau de Napoléon, ou la Joconde. Et puis, merveille, notre hôtesse était abonnée à *Temps présent,* elle lisait *Esprit* de Mounier et possédait la collection complète de *la Relève !* On commença à parler de la notion de « personne humaine ». Mais, rapidement, elle orienta différemment la conversation : son mari bâillait et, parmi les invités, plusieurs suivaient mal.

Le vent qui venait de la montagne avait fraîchi. On quitta la pelouse, où tout un buisson de géraniums rouges et de cannas pourpres était envahi par l'ombre. On entra dans le salon. La conversation devint plus intime, pleine d'allusions, de connivence. Quelqu'un parla politique. Nous ne suivions plus. L'hôte (ou était-ce son beau-frère?) cita un mot de Maurice (Maurice? qui ça?) : « La culture, c'est comme la boisson. Il y a des gens qui ne la supportent pas... » Heureusement, un Sauternes excellent nous avait mis en forme et nous avons osé demander : « Est-ce le même Maurice que celui qui a dit : « Les évêques mangent dans ma main? » Tout le monde s'est mis à rire, la phrase était bien connue. Nous-mêmes, nous avons ri. Trop ri? Un clerc qui était là (la présence de Stanislas dérangeait son collège) prit mal nos rires. « Je rentre, dit-il sèchement. » Ce soir-là, nous avons compris jusqu'où on ne pouvait aller trop loin. On se le tint pour dit.

Ce salon bourgeois dans lequel allait s'achever cette veillée était, pour nous, une découverte. Le défi des propriétaires avait dû être d'harmoniser des meubles, des tableaux, des objets de parentés culturelles différentes, parfois opposées. Cela avait dû demander une grande sûreté de goût dans les acquisitions. Le résultat, en la circonstance, était parfait : une tonalité gris perle (digne du plus authentique Louis XV) mettait en valeur un petit rétable en bois d'origine provinciale française ; à gauche, un paysage de G. Roberts (nous n'en avions jamais vu) avec des verts de toutes sortes ; à droite, un portrait d'un « primitif » du XIXe, sans signature (plus tard, il nous fut évident que c'était un Roy-Audy, sur lequel Gérard Morrisset faisait des recherches). Derrière nous, un grand fusain : un nu de Muhlstock. Dans l'angle, un buffet-encoignure québécois, avec toute une présentation de faïences de Portneuf (la belle-sœur nous murmura, à mi-voix, que c'était en réalité de la céramique anglaise). Enfin, un fauteuil en « os de mouton », des chaises victoriennes, deux grandes torchères modernes. Notre hôte, définitivement réveillé, commenta tous ses achats. Ça avait vraiment coûté très cher, mais la difficulté des jours présents (ces mois précédant la guerre étaient difficiles pour l'import-export) exigeait que le cadre familial soit en harmonie avec cette incomparable municipalité qu'était Outremont.

La soirée s'acheva. Évidemment nous allions nous revoir. C'était un fameux bon début. On ne nous avait pas offert de thé. Tout allait bien.

Le lendemain, ça devint sérieux. Nous fûmes, non pas invités, mais convoqués chez celui qui avait pris l'initiative de nous faire venir : le sénateur Raoul Dandurand. Notre chambreuse nous précisa qu'il faudrait nous « tchèquer ! Ce sont des gens du grand monde ! »

Nous arrivons à trois heures pile dans la belle résidence de la Côte-Sainte-Catherine. « Table servie à la russe », nous dit le sénateur. « Du café ou du thé ? — Non, merci, pas de thé pour nous. »

Conversation quasi surréaliste. Les trois notables présents, extrêmement sympathiques, et au courant de tout, parlent, à des niveaux différents, de choses différentes. Nous sommes perdus, un peu, et même beaucoup. On nous pose des questions sur le passé (Monsieur le Sénateur, nous ne sommes pas historiens), sur l'avenir (Monsieur le Maire, nous ne sommes pas prophètes) et, heureusement, sur le présent. Ça, messieurs, ça nous passionne ! Le maire Jos Beaubien revient sans cesse sur les origines d'Outremont. Une vraie fixation. L'œil humide, il raconte qu' « au début du siècle (ce n'est pas si loin) des vaches, qui traversaient la Côte-Sainte-Catherine, empêchaient l'unique tramway d'aller vers Bellingham ». « La nuit, raconte sa sœur, j'entendais les loups hurler autour de la ferme. Là où passe maintenant toute la circulation ! »

Mais le sénateur s'impatiente. On nous a convoqués pour parler de pédagogie. « Il nous faut des professeurs compétents, communicatifs, créatifs. » Tout à fait d'accord sur ce programme. Mais le contrat ? « Pour vous, madame, mille dollars. Par an, évidemment. Votre charge ? La classe de huit heures trente à seize heures trente ; mais aussi le téléphone, la réception, la comptabilité. Et, en fin de semaine, les louveteaux que vous allez créer le plus vite possible. » Ma femme éclate de rire. Et rougit de confusion. « Excusez-moi, c'est nerveux, dit-elle. » L'un des notables précise : « Votre mari aura une charge un peu plus légère que vous et touchera un peu plus. — Pourquoi ? — Parce que c'est un homme ! »

Mais, nous le reconnaissons, c'est un privilège que de travailler à Outremont. Dans une si belle ville, aux arbres si verts, aux portiques si élégants. Jos Beaubien est en veine de prophétie : « Un jour, Outremont sera la plus belle municipalité du Québec — à moins que ne l'emporte cette maudite idée : une île, une ville — c'est là que résideront les ministres, les diplomates, les universitaires (si, là-bas, sur la montagne, l'université finit par ouvrir ses portes), les professionnels de tout poil, les clercs de toute obédience, les pâtissiers, les gastronomes… »

À ce mot, tout le monde regarde du côté du buffet « à la russe ». C'est le moment de l'attaquer. Par une attention délicate, on voit sur la table les spécialités d'Outremont, dont rêvent les gens du « Faubourg à mélasse » : le miel de l'échevin Dunlop, les melons du Sieur Gorman, les pommes « fameuses » de la ferme Beaubien, les incomparables nougats et caramels du confiseur Joyce. Ah ! quelles merveilles !

Nous repensons souvent à cet inoubliable après-midi ! Et, comme il y a cinquante ans, nous ne buvons toujours pas de thé à Outremont.

Le carré Saint-Louis (photo de J.-L. Desrosiers).

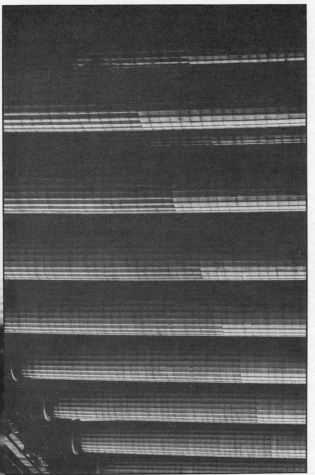

La colonnade de l'édifice Sun Life (photo de J.-L. Desrosiers).

NICOLE BROSSARD

Aura d'une ville

Car une ville est un lieu qui allège et abrite l'intensité. Une ville toujours quelque part ranime en nous le désir et autant de saisons, les pluies, le singulier, le foisonnement des pensées, la mort recommencée et mille distances à parcourir qui nous font souvenir de la sueur et du froid. Volutes, dômes, hanches, épaules, tresse colorée du désir, oui une ville nous surprend en pleine sensation de vivre malgré les drôles de clichés qui retombent sur nos épaules si, par exemple, on longe la rue Saint-Denis ou si on descend un samedi soir dans le Vieux-Montréal et que, au bord du fleuve, la nuit est encore capable d'étoiles.

Ma ville est multiple. Je ne sais pas mettre de clôtures entre les quartiers, les parkings étalés du centre-ville. La tentation des terrasses est permanente. Je ne sais pas choisir entre les parcs, les cinémas, les façades anciennes, la saleté et les restos chic. Je sais seulement marcher entre les saisons, la tête haute, le regard neuf comme si Montréal était une aventure toujours à recommencer. Je sais seulement me contredire comme on le fait souvent en parlant d'un grand amour ou de son enfance sans trop savoir si ce qui nous habite est le fruit de notre imagination ou la sensation mille fois vécue de la réalité. Il m'arrive parfois de laisser parler la sensation. La sensation est diffuse.

Née le 27 octobre 1943. Écrivaine, elle habite à Outremont. *Amantes,* poésie, 1980. *La lettre aérienne,* essai, 1985. *Le désert mauve,* roman, 1987.

Il y a trop de destins qui se forment de l'aube à la nuit, quotidiens, aussi bruyants que la vie elle-même. Montréal est en moi multiple. Je ne peux arrêter le temps et figer toute mon île dans une seule rue, dans un quartier. Je sais très bien que j'exagérerais, que j'imaginerais des soies transparentes, des scénarios osés, des drames répétés derrière les rideaux et les stores vénitiens à la tombée du jour. Ma ville est une grande carte géographique où j'aime à pointer du doigt l'enfance, le désir et la littérature comme des repères intimes.

LA VILLE EXOTIQUE

Mémoire ou souplesse répétée de l'œil : à l'ouest, le quartier anglais de mon enfance et, superposée, l'image inversée de mon désir pour l'Est montréalais. Ô combien j'aurais voulu échanger les noms à l'orthographe difficile des rues Coolbrook, Earnscliffe, Clanranald pour un peu d'histoire québécoise à travers les noms vifs de Lafontaine, Papineau, de Lorimier ! Je triche un peu car à vrai dire mon attirance pour l'Est était surtout affaire d'interdit. L'Est, on me l'avait fantasmé, farci d'ivrognes, de guidounes, de blousons noirs et de maniaques, raconté comme un fait divers, une scène de déboires et de malheurs accumulés entre les jurons et les anglicismes, les caisses de bière et les sacs de chips. À l'est, les travaillants et les communs ; à l'ouest, les Anglais, les patrons, les médecins et les avocats. Entre les deux, la rue Saint-Laurent était une limite, un seuil. La Main, c'était pour moi le Tanger, le Bornéo exotique, le Bowery de la misère de vivre mais je savais que la vie était dans l'Est, que l'odeur de vivre était tapie là, dans les cabarets, les ruelles, les bineries, et qu'elle rôdait du soir au matin comme des voix d'enfants mêlées aux bruits de la circulation. Je devais sans doute aussi confondre beaucoup de choses car, dans l'Est, Marilyn était une fille de la rue des Érables et James Dean allumait une cigarette à tous les coins de rue et il y avait toujours un peu d'ombre sur son visage. Puis un jour Tarzan et Ciboulette de *Zone* sont venus les rejoindre. Depuis je sais que sous le pont Jacques-Cartier *plusieurs tombent en amour.*

CAMÉRA DES SENS

Ça, c'est une autre histoire. Réelle mais peut-être amplifiée par le bien-être que j'éprouve, que j'ai toujours ressenti en marchant dans le centre-ville de Montréal. C'est essentiellement l'histoire de ma passion pour toute ville nord-américaine où il est possible de sentir le corps à corps quotidien et la saveur emmêlée de vivre anonyme, lucide et vulnérable.

Ma caméra des sens fonctionne à tout coup lorsque je longe la rue Sherbrooke, les galeries, les boutiques, le *Ritz* et que, rue de la Montagne, je bifurque, boulevard de Maisonneuve pour me glisser, transparente et multiple, parmi les glaces, le verre, les reflets ocres et argentés, diffractée dans la civilisation. Il y a là de l'événement qui m'attire tout bas vers le goût d'écrire, tout haut vers le goût de franchir quelque seuil. Oui *down town,* ma caméra des sens travaille à plein, excessivement précise, versatile aussi quand il s'agit d'aménager l'ampleur du sentiment, le trop-plein d'énergie qui m'oblige à penser froid/mental, un instant parmi les fragments, le présent. Alors je regarde Montréal qui travaille son profil entre la rondeur du mont Royal et l'étale du fleuve : la Place Ville-Marie, la saisissante Maison des Coopérants, les angles audacieux de la BNP, cette verticalité répétée parmi les néons discrets qui, à la nuit tombante, dessinent de petites virgules lumineuses dans le grand espace bleuté du continent.

LES URBAINES RADICALES

Toutes les villes aboient et chaque femme en ressent la détonation. Certaines jusqu'à l'ankylose, d'autres au contraire s'installent dans le circuit électrique des pensées et raccordent à la ferveur du jour ou de la nuit les soies, le rythme et l'utopie, font aussi des pas de géantes qui gardent à distance les aboiements. Rue Duluth, rue Rachel, rue Marie-Anne, les urbaines radicales tissent au fil de leur voix, de leurs gestes et de leurs textes, un savoir-vivre qui aménage Montréal au cœur de mon identité. Alors j'ai des ailes au corps et toute la ville se transforme. Les noms de rue se confondent à des noms de femmes, Ariane, Carla, Sarah, Sylvie, Destinée. Tout devient concret. Tout est si concret. J'entre alors dans le tourbillon des voix, de la musique et de la danse. La ville devient une femme, rieuse, triste, musclée, fragile ; la ville a une histoire insoupçonnée. La ville est tragique. La ville est excessive. La ville a des bras, des lèvres, foisonne de mamours, d'étreintes et de tremblements. La ville est une *waitress,* une avocate, une mère, une infirmière, une superbe rockeuse. Rue Saint-Denis, au sortir du *Lilith* ou du *Lybiris,* c'est à nouveau Montréal, mais la fière allure des urbaines radicales me la rend plus ardente, enfièvre en moi la matière à penser et redonne à ma ville sa forme de grande île en amande.

On dit de certaines villes qu'elles donnent des leçons, qu'elles éblouissent ou qu'elles affinent la faculté d'imaginer. On dit qu'il faut des tombeaux, des palais et des arcs bien cadrés dans l'existence pour qu'une ville aide à relever le défi de mourir et de penser, le caprice amoureux. On dit que pour exister une ville doit pouvoir déployer en nous le vertige de l'histoire ou quelques flamboyantes lubies. On le dit. Mais pour cela il faut surtout des mots capables de faire miroiter comme autant d'angles et de paysages dans la mémoire l'étrange perspective d'avoir été, d'être de tout corps, là, dans l'image à investir la ville.

Aucune ville ne survit sans le commenté fébrile, l'appétit ou la mélancolie de ses poètes, sans l'émergence de l'écriture. Littérature, voilà le fin mot qui fait exister une ville. Du présent, du présent continu parmi les siècles, de la souplesse inlassablement contemporaine. Une intimité pensante qui puisse nous faire jongler avec des noms de rues, de personnages, qui nous fasse revivre les passages à tout jamais soulignés dans notre mémoire d'enfance et de lecture.

Tout cela je l'écris en pensant Montréal comme une série de livres dans le temps ; ici *Bonheur d'occasion* de Gabrielle Roy ; ici *la Grosse Femme d'à côté est enceinte* de Michel Tremblay, ici la ville en prose de Yolande Villemaire, les stars urbaines de Claude Beausoleil et mon *French Kiss* des années 70.

Saveur de réel, saveur de fiction. Dans la courbe répétée de vivre et de parler, insister pour que Montréal garde son accent sur le « e », veiller à ce que l'émotion ne quitte pas un instant des yeux la langue. Oui, Montréal, je te veux toute chair et synapses en action. Dans le froid, s'il le faut.

JEAN CHAPDELAINE GAGNON

L'apprenti-jardinier

Julien avait passé l'avant-midi dans le parterre. Après avoir ratissé en bordure de la maison, après avoir meublé le sol, il s'était mis en devoir de planter des fleurs. De l'autre côté de l'étroite rue Drolet, que rendaient encore plus exiguë des voitures garées pare-chocs contre pare-chocs, une grosse fille à peine plus jeune que lui, les coudes appuyés sur la balustrade du balcon, l'avait observé toute la matinée. Comme Julien, Rosette occupait son temps à ne rien faire.

Encouragé par les voisins qui, depuis des années, dans le cadre d'une campagne d'embellissement de Montréal, enjolivaient de fleurs colorées leurs petits coins de verdure, et par sa mère qui l'y avait incité, à la fois surprise et ravie de l'intérêt porté par son fils à tant d'efforts déployés pour garnir de quelques plantes des parterres à peine plus grands qu'une nappe, Julien s'était mis au travail, d'abord machinalement, comme un automate; puis, petit à petit, il avait retourné le sol avec plus d'enthousiasme avant de ficher fébrilement en terre des fleurs de plastique, si populaires dans le quartier, qu'il se fit un devoir d'arroser dès qu'il eut terminé sa besogne. Mais, au contact de l'eau qu'il versa trop généreusement, ses plantes se déracinèrent et, en quelques secondes, se retrouvèrent couchées dans la boue.

Né le 25 novembre 1949. Traducteur, il habite sur le Plateau Mont-Royal. *Le tant-à-cœur,* poésie, 1986. *Dans l'attente d'une aube,* poésie, 1987. *Malamour,* poésie, 1988.

— C'étaient des éphémères? demanda Rosette, sans pouvoir retenir un fou rire.

— Non... roses... marguerites... de maman, répondit Julien.

Derrière lui, la porte s'entrouvrit. Une femme au visage émacié, aux cheveux gris, lissés et relevés en chignon, passa seulement la tête.

— T'as pas honte, Rosette, de te moquer d'un simple d'esprit? À ton âge!

— Qui ça, maman, qui ça? demanda Julien.

— Il ferait mieux de planter des choux et des navets, ton Julien, madame Sylvette, ça lui réussirait mille fois mieux! Ou des citrouilles et des patates, tiens, tête à l'envers, pourquoi pas!

La vieille femme avait refermé la porte. Rosette se tordait de rire sur son minuscule balcon et Julien lui emboîta le pas. Un rire si communicatif...

— L'aimes pas... jardin... Rosette... l'aimes pas?

— Faudrait trouver quelque chose de mieux, gros bêta. Quelque chose de vivant, si tu veux que ça pousse.

— Vivant?

— Oui, c'est ça, de vivant.

Julien regarda autour de lui, l'air plus hébété qu'à l'ordinaire. Il s'avança jusqu'à la grille de fer forgé qui ceinturait la pelouse pour mieux voir ce que ses voisins avaient mis en terre. Il y avait toutes sortes de fleurs : certaines bizarres, aux couleurs bigarrées ; d'autres courtes et gonflées comme des ballons ou des têtes ; d'autres encore longues, au contraire, et qui balançaient leurs corolles comme des mains au bout de bras osseux et effilés, dans un signe d'au revoir. Il resta bien une heure ainsi sous le soleil de plus en plus lourd d'un été précoce, sans couvre-chef, le crâne aussi chauve qu'une boule de billard, à regarder bouger les fleurs. Puis il rentra, sans prononcer un mot, et on ne le revit plus de la journée.

Pendant la nuit, de petits cris aigus, à demi étouffés, troublèrent le sommeil des voisins les plus proches, mais personne n'y accorda la moindre attention. Cela n'avait duré que quelques secondes, puis le calme était revenu. Sans doute une chatte en quête d'un matou, dans la ruelle.

Quand Rosette, après son petit-déjeuner, s'installa sur le balcon pour y boire sa deuxième tasse de café, comme elle le faisait chaque matin, sauf en hiver, elle ne remarqua rien d'anormal. Ce n'est que plusieurs minutes plus tard, après qu'elle se fut bien calée dans son immanquable berçante, tasse à la main, cigarette au bec, que son regard se porta sur le jardin de Julien. Elle se mit alors à hurler comme une démente. Les voisins se précipitèrent dehors et ce fut un concert de cris.

Fier comme un paon, en habits du dimanche, les lèvres fendues jusqu'aux oreilles, Julien ouvrit la porte. Il n'aurait jamais osé même espérer que son jardin fît un tel effet. Il avait réussi. Les autres n'en revenaient pas. Enfin, on l'admirait. Quand il s'en donnait la peine, il était capable de grandes choses, de choses exceptionnelles, comme le lui répétait si souvent sa mère. Et, cette fois, tous en avaient la preuve ; jusqu'aux agents de police et jusqu'aux ambulanciers dont on entendait déjà siffler les sirènes. La ville entière saurait qu'il avait réussi le plus beau jardin qui soit.

Une camionnette jaune s'arrêta devant la maison. Deux hommes vêtus de blanc s'approchèrent de Julien. Il leur tendit la main droite et, de la gauche, souleva son chapeau, prêt à les remercier de s'être déplacés pour lui et son parterre de fleurs vivantes. Les deux hommes l'empoignèrent et l'immobilisèrent.

— Quoi que j'ai fait ?

Aucune réponse.

Pendant qu'ils lui passaient une chemise blanche aux longues manches blanches dans lesquelles ils lui emprisonnèrent les bras, d'autres hommes, descendus d'une autre voiture — bleue rayée de blanc celle-là — armés de gants et de sacs de plastique, détruisaient son chef-d'œuvre.

— Pourquoi ? Pourquoi ? hurlait Julien.

Trois jours plus tard, en l'église Saint-Jean-Baptiste, avaient lieu les funérailles de madame Sylvette. Rosette y assistait, si rougeaude qu'on l'aurait dite sur le bord d'éclater. Et tous les voisins immédiats. Mais Julien n'y était pas, pas plus qu'à l'enterrement au cimetière de la Côte-des-Neiges. On l'avait emmené dans une grande maison aux fenêtres traversées de barreaux dont il avait du mal à se rappeler le nom : Louis-Hippolyte-Lafontaine. Plus jamais il ne planterait de sanguines, au pied de volées d'escaliers à vous donner le vertige autant que les manèges de la Ronde.

GILLES CYR

M.

la rue le reste

dans le camion
les objets lourds

celui qui parle
s'en va autrement

*

il y a une boutique

l'employé
sort un moment

avec une boîte de carton
qu'il jette

*

la chaussée les crevasses

Né le 23 septembre 1940. Conseiller littéraire, il habite sur le Plateau Mont-Royal. *Sol inapparent*, poésie, 1978. *Ce lieu*, poésie, 1980. *Diminution d'une pièce*, poésie, 1983.

je ne reste pas
je regarde

les bois attendent
atteints

*

prenons par cette rue
examinons cette proposition

gare à cette flaque
vous avez raison

si vous voulez
coupons par ici

*

au parc sur un banc
je lis un livre

l'écureuil vole
d'un arbre à l'autre

le satellite
lit avec moi

*

j'entends une partie
des voitures en fuite

au mieux je suis dehors

un passant s'arrête
trouve des mots dans le vide

*

l'appartement
quand même assez grand

je sors dans la rue

au port blé pétrole
rien n'y fait

*

la montagne
on l'appelle ainsi

on aime ce soulèvement
sur 234 mètres

pas plus

*

on me refile
un plan de l'agglomération

qui pour l'instant
n'ajoute rien : il faut

sortir de l'agglomération

*

l'œil
entre dans la montagne

je vous ai fait peur

mais vous prendrez bien quand même
encore un peu de bois?

*

hier ils ont défoncé la rue
pour enfouir des câbles

aujourd'hui ils remplissent
ils réparent vite ces types

ils répareraient volontiers
le monde

*

le dessin de Jean Bourdon
nous sommes en 1647

montre un petit fort
le canot est amarré

je le cueille

50

*

pour peu que je m'éveille
j'interviens

ou bien l'amas
des façades éclaire?

*

un fleuve
on ne le voit

des ponts
passent dans l'air

quand le ciel se couvre
nous sommes par là

*

je nie je vois

ce qui reste de murs
quand le froid a passé

singe une ville

*

comment pourquoi
des escaliers de fer

attaquant les façades
pourquoi allons-nous là

comment revenir

*

l'œil
applique une pression

déplace une brique
celle-ci

(la dernière)

*

les rues longues
je les sectionne et

continue sur d'autres noms

jusqu'à l'immeuble
inséré dans le cillement

*

la rue se vide
j'ouvre les yeux

oubliant de viser
un peu plus loin

elle est vide

ANTONIO D'ALFONSO

Avril ou l'anti-passion

Lucia attend son collègue de travail pour le souper. Elle l'invite dès que papa accepte de rencontrer ce Peter Hébert dont elle ne cesse de faire l'éloge. Mamma le connaît déjà, pour les avoir surpris plus d'une fois à l'heure du dîner à l'usine de textiles pour laquelle ils travaillent tous les trois.

Il s'appelle Pierre Hébert de son vrai nom. Mais on l'appelle Peter. D'ailleurs, dit-elle, Pierre ne saurait lui convenir, il ne connaît pas un mot de français. À plusieurs égards, sa description de Peter ressemble étrangement à celle qu'on pourrait faire d'un Italien né au Québec. (Cette difficulté d'être soi-même, ce qu'on nous enseigne très mal.) Je ne suis pas trop en faveur de cette rencontre avec un jeune homme qui pourrait éventuellement devenir le mari de ma sœur. Toutefois, cette décision ne me regarde en rien. Je préfère garder le silence : vaut mieux ne rien dire.

Je souhaite voir Lucia terminer ses études collégiales. Rien à faire : elle décide de les interrompre et de travailler comme secrétaire à cette usine textile sur la rue Masson. C'est aussi qu'elle nourrit l'espoir de se marier au plus vite, de quitter la maison de ses parents, qui ressemble de plus en plus pour elle à une prison. Tant qu'elle vit sous son toit,

---

Né le 16 août 1953. Éditeur et traducteur, il habite dans le quartier Mercier. *Black Tongue,* poésie, 1983. *L'autre rivage,* poésie, 1987. *L'amour panique,* poésie, 1987.

elle est obligée d'obéir sans discussion aux ordres de son père. Et une Italienne née à Montréal en 1955 n'a pas le choix : ou elle termine son secondaire et trouve un emploi, ce qui suppose qu'elle se marie au plus sacrant, ou elle poursuit ses études jusqu'à l'université en attendant de rencontrer un professionnel qui, ses études terminées, consentirait à l'épouser. Elle sait pertinemment que, ce faisant, elle court le risque de se retrouver seule à trente ans. L'enjeu est de taille pour cette Italienne qui a vingt ans en 1975. Peu de femmes de culture italienne risquent leur avenir. Ce n'est donc pas pour rien que la majorité des Italiennes de mon âge se sont mariées très jeunes — parfois même avant d'avoir vingt ans. Un mariage rapide n'assure pas nécessairement le bonheur. Au contraire. Le jeune mari italien reproduit souvent l'attitude autoritaire du père et, de mille et une façons et pour toutes sortes de raisons (psychologiques et sociales), il se venge des malheurs qu'il a connus dans sa propre enfance. La pièce de théâtre *Addolorata* de Marco Micone illustre magnifiquement cette problématique.

En Italie, les femmes nées après 1950 contournent la difficulté en plongeant dans une aventure matrimoniale avec un homme de dix ans leur aîné. Elles pensent que, tant qu'à se marier, autant que ce soit avec un homme mature qui puisse leur assurer le bien-être financier. Rares sont celles qui, comme les Italiennes du Québec, se marient avec un *forestiero,* un étranger. Lucia sait tout cela. Plus jeune que ses cousines, elle essaie de ne pas reproduire leurs erreurs. Peter Hébert est son prince charmant et elle n'en demande pas plus.

— Papa, je n'en peux plus. Mes bras sont couverts d'eczéma et je n'arrive plus à dormir la nuit. Je ne mange plus et, si je mange, je vomis. Je ne suis pas heureuse.

Rendez-vous-en compte.

— Mais pourquoi un Anglais ?

— Ce n'est pas un Anglais. C'est un Québécois.

— Un Québécois qui ne parle pas sa langue maternelle, je n'appelle pas ça un Québécois. Si au moins il était un Anglais du Québec ! Mais non, un francophone qui ne parle pas français ! Non. Je ne veux pas d'étranger dans la maison.

Et, de plus en plus fâché, le visage rouge comme la sauce des *pennine* :

— Comment oses-tu manquer de respect envers tes parents ? Tout ce que nous possédons vous appartient, à toi et à ton frère. « Ta vie à toi », c'est avec ta famille que tu dois la vivre. Lorsque nous vieillirons, ta mère et moi, qui prendra soin de nous ? Je ne veux pas vivre avec une personne qui ne parle pas la même langue que moi, qui ne me comprendra pas quand je lui dirai que j'ai mal au dos. Je veux mourir avec des gens de mon peuple.

— Mais aucun homme de ma communauté n'a su me choisir !

— Et Bruno ? (Bruno est le fils d'un lointain et riche cousin de mon père. Il aurait bien voulu épouser ma sœur.)

— Je n'ai pas confiance en Bruno. Il y a quelque chose qui n'est pas clair en lui.

— Ton imagination te joue des tours. Bruno est médecin. Il te veut du bien.

Papa se calme. Il déteste l'ignorance, surtout chez les gens instruits. Selon lui, ses enfants sont des gens instruits. Il n'est jamais allé au-delà de la septième année. Ainsi, pour lui, tous ceux qui ont plus de huit années de scolarité sont instruits. Bruno, médecin, représente conséquemment le summum de l'instruction. Que sa fille refuse la main d'un riche médecin qui a nécessairement de l'éducation et qu'elle songe au contraire à épouser un simple vendeur de vêtements, cela n'est que folie pure. Il n'y a rien à faire, Lucia est décidée. Mamma a convaincu papa d'accepter de le rencontrer.

PIERRE DANSEREAU

Les premiers trilles

En 1918, la rue Maplewood, à Outremont, c'était presque la campagne. Devant notre maison, en regardant vers le chemin de la Côte-Sainte-Catherine, un fourré dense de cerisiers, de bouleaux gris, d'aubépines, d'où émergeaient des ormes, des caryers et des érables à sucre. Entre la ruelle à l'arrière du n° 56, où je suis né, et le boulevard du Mont-Royal, des affleurements rocheux étaient flanqués d'énormes tilleuls où butinaient les abeilles et de grands noyers habités par les écureuils. Puis, au sud du boulevard, l'érablière presque vierge du parc du Mont-Royal. Un microrelief inégal favorisait les gros bancs de neige lents à fondre qui se dissolvaient au printemps en flaques d'eau pleines de têtards, qui ne tarderaient pas à se transformer en petits crapauds sauteurs, couleurs de feuilles mortes.

Au printemps, le parterre du fourré et de la forêt, inondé par les rayons du soleil, se couvrait de plantes que l'ombre estivale ferait disparaître. C'étaient le tapis dense des feuilles succulentes de l'érythrone (tachetées de brun comme la peau de la truite) et ses fleurs jaune d'or, penchées comme des lis ; d'innombrables touffes de violettes : les grandes à fleurs jaunes, les plus petites à pétales violets et les blanches, minuscules mais odorantes ; le grand trille

Né le 5 octobre 1911. Professeur, il habite à Outremont. *Contradictions & biculture,* essai, 1964. *La terre des hommes et le paysage intérieur,* essai, 1973. *Harmonie et désordre dans l'environnement canadien,* essai, 1980.

blanc avec sa large collerette de feuilles à grosses veines en ogive, le trille rouge foncé dont la mauvaise odeur attirait les mouches ; les pigamons et les fougères avec leurs feuillages presque transparents et finement découpés.

Plus tard, devenu botaniste, je devais évoquer dans cette imagerie enfantine l'accord des plantes et des saisons, l'échange actif entre les animaux et les végétaux, le potentiel des sols.

Ce décor rural ne me cachait quand même pas la ville, où j'étais loin, à cinq ou six ans, de discerner des éléments hostiles. Au contraire, les bienfaits urbains m'étaient déjà très sensibles, et le monde commercial de la rue Laurier, toute proche, l'impressionnante église de Saint-Viateur et le couvent des religieuses de l'Immaculée-Conception me mettaient en présence d'une série de personnages, chacun étant voué à un rôle prestigieux, derrière le comptoir à bonbons, la chaise du barbier, au pied de l'autel ou dans la salle de classe.

Peut-être la route elle-même présentait-elle déjà un attrait pour le futur explorateur et membre de la franc-maçonnerie scientifique internationale. Justement, notre rue Maplewood voyait soulever la poussière de son gravier par les attelages du laitier, du boulanger, de l'épicier, du livreur des grands magasins. Or, un jour, les « hommes de la corporation » (employés de la Ville) apparurent sur notre horizon avec une énorme chaudière fumante et répandirent un goudron frais de bord en bord de la chaussée. Nous les harcelions comme des mouches, mais moins légers que les insectes, nous dégagions nos pieds englués, nous mâchions un peu de goudron, nous en plaquions dans la chevelure des filles. (Ah ! les conversations téléphoniques entre les mères !)

Le 11 novembre 1918, autre célébration. Une vingtaine

de petits, chacun muni de couvercles de chaudron, jouaient de la cymbale. Nous sonnions à la porte avant, traversions la maison à la file indienne pour émerger à l'arrière et recommencer chez le voisin.

Ces joies, ces offrandes, sont les prototypes, les essais heureux dans l'exubérance, des enfants qui disent : « Le roi est mort, vive le roi ! » Qu'est-ce qui commençait donc avec cette armistice (un mot nouveau) et qu'est-ce qui finissait avec la guerre ? Notre bonheur était menacé, mais nous n'en savions rien.

J'avais alors six ans. J'en ai maintenant soixante-seize, et je suis toujours à Outremont, sur la même rue Maplewood. La distance est courte du n° 56 au n° 76, où j'habite.

Les boisés ont disparu, mais l'érablière du mont Royal est à un coin de rue. C'est vrai que les citoyens y ont à peu près exterminé les trilles. Mais les oiseaux continuent à apporter dans mon jardin des graines de petit-prêcheur, de smilacine, de circée, de sanguinaire, de salsepareille, d'aralie, de violettes, de sanicule et d'eupatoire. Je leur laisse à toutes une place dans mes plates-bandes, tout comme j'accepte que les écureuils y plantent des noyers. (L'un d'eux a maintenant quarante pieds et une belle envergure.) Le sureau et la ronce odorante, également spontanés, occupent de grands espaces.

Et que dire des « mauvaises herbes » ? Il ne faut pas toutes les détruire : la marguerite me rappelle la France, la pâquerette l'Angleterre, le *galinsoga* le Brésil ! Mon gazon est ras et vert, mais un peu houleux à cause du réseau souterrain des musaraignes. Il est émaillé (expression ronsardienne ?) de renoncules, de véroniques, de trèfles, de prunelles, de renouées, de fraisiers, de stellaires qui appellent la reconnaissance du botaniste, qui parlent le « langage des fleurs et des choses muettes ». Elles transmettent l'« invitation au voyage » qu'ont fait ces plantes depuis leur origine lointaine.

Les pierres aussi ont été choisies : surtout les cailloux des grèves gaspésiennes, les moellons de granit déposés par les glaciers, les blocs de serpentine, les fossiles d'Anticosti et de la baie de Fundy.

En ce moment, les merles chantent, les tulipes et les azalées fleurissent dans ce paysage de verdure où s'est ouverte ma conscience du monde :

> *Pour l'enfant, amoureux de cartes et d'estampes,*
> *L'univers est égal à son vaste appétit.*
> *Ah! que le monde est grand à la clarté des*
> *lampes,*
> *Aux yeux du souvenir, que le monde est petit!*

Baudelaire l'avait donc dit pour moi, « un vrai voyageur », de ceux « qui partent pour partir ». Mais qui reviennent, comme du Bellay, passer « le reste de leur aage » dans la douceur d'Outremont.

JEAN-PAUL DAOUST

Montréal a les yeux gris

J'aime les nuits de Montréal
Pour moi ça vaut la place Pigalle
On rit on chante
Tout nous enchante
Il y a partout des refrains d'amour
Je chante encore je chante toujours
Et quand je vois poindre le jour
Vers ma demeure aux petites heures
Je vais heureux
À Montréal c'est merveilleux

Jean RAFA
Jacques NORMAND

Se tenant bien droite au chevet du soleil, au crépuscule la ville s'allume. Image postromantique pour un bouquet d'acier.

Au-dessus de ses trottoirs blue jeans, dans ses miroirs en écho plus d'un Narcisse nage. La nuit sied bien aux villes. Le noir les découpe en cascades de lumières. On reste émerveillé de ces affriolants montages. Les rêves semblent alors palpables. C'est le moment où les divinités viennent

Né le 30 janvier 1946. Professeur, il habite sur le Plateau Mont-Royal. *Soleils d'acajou,* roman, 1982. *Dimanche après-midi,* poésie, 1985. *Suite contemporaine,* poésie, 1987.

épier les humains pour savoir ce qui leur a manqué. De l'avion toutes les villes se ressemblent : des rosées d'étoiles. La nuit de Montréal est rose. Comme sur Mars.

Chaque ville a ses odeurs. Odeurs d'épices et de marbre froid. De vents marins et de géraniums. De poussière et de métal. Et ses parcs qu'elle étale. Cartes postales géantes, écrites par des citadins aux quotidiens endimanchés. Là, le soir, des corps osent se réincarner en de purs phantasmes. À ces moments-là la ville a la cuisse juteuse.

Montréal est la ville aux quatre saisons. Franches. Chacune ayant son propre éclairage. C'est dans sa lumière qu'on reconnaît la candeur spécifique d'une ville. Et Montréal est la seule ville au monde où on sait quand le printemps arrive. À une terrasse, fin mars. Près d'un drink. Et il arrive qu'il ne reste pas plus longtemps que le vin blanc froid dans la coupe. S'il repart aussitôt, c'est pour aller chercher l'été. Il tarde alors à revenir.

Mais la nuit. Où tous les corps sont des maîtres à penser. Dans la jouissance des vêtements plus d'un œil a trébuché. Le noir floconne entre les tiges illuminées des buildings. *Action painting*. Vous ouvrez la porte de votre appartement et dès que vous mettez le pied dehors vous savez que le safari commence. Quand le vent est chaud, l'heure est plus érotique. Serez-vous fauve ou antilope ? Peut-être les deux.

La cage bruyante, surpeuplée de la ville. Ses oiseaux rares. Qui chantent des refrains archiconnus. Toujours nouveaux. Comme la beauté est indécente ! Peut-on la supporter tout le temps ?

Montréal est une ville où on peut circuler jusque dans ses racines. Translucides. Ville intrigante. Longer ses rues bordées de vitrines, de mannequins, d'annonces. Arpenter ses trottoirs criblés de trous, de passants, de mots. La vie ronge le béton. Et les poteaux badigeonnés de fleurs aux éclats artificiels. Au bout de certaines rues, on reconnaît une fragrance. Ou le building habituel qui nous étonne encore. Sentinelle favorite d'un horizon familier. À l'aube, les villes rêvent. Montréal a alors des yeux gris qui trempent dans le rouge à lèvres.

Les taxis pour accélérer le processus de vie. La ville a des mouvements rapides, saccadés, voire violents et pourtant ce geste tendre, tout à coup, d'une rue. Et une perspective de conquête. Le cœur Challenger. Il y a des sourires qui nous guillotinent. Des gratte-ciel qui nous propulsent au-delà de l'an deux mille. La fin du millénaire sera cuirassée : à l'attaque de ce ciel-ci. Mais dans son métro Montréal a toujours les yeux bleus.

Chaque ville a sa chorégraphie. Ses danses où chaque citoyen est une figuration intéressante. Le ballet du trafic. Humain et mécanique. Le feu change-t-il ? Pas vraiment. Les villes ont décidément beaucoup d'humour.

On reconnaît le style d'une ville au chic de ses dimanches. La qualité de son farniente. Les soubresauts langoureux de sa soirée. Quand les nuages sont des pages blanches à la dérive. Une ville qui n'est pas écrite n'existe pas.

Il y a des villes dont les vents rendent fou. Entrer dans une ville, c'est la comparer. L'aimer et la métaphore surgit. Certaines villes ont plus d'imagination que d'autres. À l'image des artisans qui la façonnent. Puisque la ville est la création de l'humain. Souvent elle les inspire. La ville est un joyau précis et précieux d'une civilisation. En Amérique, c'est plein de villes super-écran. De villes King-Kong aux dentitions dinosauriennes !

Et Montréal qui s'était barricadée du fleuve. L'île voulait être d'abord sûre de ne pas partir avec lui. Mais maintenant cette confiance retrouvée. Des fenêtres s'ouvrent sur le Saint-Laurent. L'histoire installée, elle lorgne l'avenir. Les villes sont des folies dont on ne saurait se passer.

Dans les villes on peut jouer : aux oiseaux comme aux fourmis. Certains jours on voit les nuages, en bas ! Et sur les murs de la ville des graffiti assiègent le conformisme de la cravate. La ville se défend de tout statu quo. Il y a, par contre, des villes plus féminines, d'autres plus masculines. Montréal est une ville androgyne. D'où son côté à la fois rond et pointu. Mais c'est dans la neige que Montréal apparaît dans toute sa puissance. Et ses racines sont des serres au cristal atlante. On célèbre alors sa folie jusque dans les Florides. Mot clef de l'imaginaire québécois.

Il n'est pas rare de voir dans le métro de Montréal des paires de skis. Où sont les Alpes ? Des corps en costumes de bain. Où est la mer ? Montréal est une ville qui fabule. Oui, il faut diagnostiquer : Montréal est mégalomane. Et c'est tant mieux.

Ce qui fait qu'on l'aime encore plus !

N.B. : Le bonheur de chaque ville est d'avoir un ange qui la protège.

CAROLE DAVID

Suites d'hôtels

L'HÔTEL DU GHETTO

En entrant dans le hall, j'ai pensé : c'est ce quadrilatère que ma grand-mère habitait peu après son arrivée à Montréal. J'ai pris l'ascenseur jusqu'au seizième étage du *Holiday Inn*. Le chasseur me précédait. C'était bizarre, car je n'avais pas de bagages.

J'ai ouvert les rideaux et j'ai regardé : il faisait encore jour. Les plans de la ville avaient été modifiés. L'église Notre-Dame-du-Mont-Carmel, les cafés, les petites maisons en rangée, tout avait disparu. Le quartier n'existait plus. Il ne restait que des noms de rues : Saint-Timothée, Wolfe, Beaudry. Des noms qui ne l'avaient jamais habité.

Un jour, au début de ce siècle, Ambrosina était en train de marcher sur la grande rue, elle achetait dans le grand magasin du fil pour crocheter une nappe. Elle préparait un trousseau. Il aurait fallu que quelqu'un lui apprenne le mot « fil » en français. Mais personne n'en a eu envie. Décrire sa langue ? Ravagée, celle d'une orpheline. Elle ne désirait plus qu'une seule chose : se réfugier sur la colline de son village pour prier Notre-Dame-de-la-Défense.

Vers cinq heures, j'ai fait le noir dans la chambre. J'ai

Née le 25 juillet 1954. Professeure, elle habite dans le quartier Villeray. *Terroristes d'amour,* poésie, 1986.

songé au bruit qu'elle faisait quand elle crochetait de petites rosettes. Elle comptait, pour avoir l'esprit ailleurs.

Des années encore, elle allait réciter cette litanie.

SAM SHEPPARD AU ROYAL-ROUSSILLON

Il voulait que nous habitions ensemble pour une journée seulement. Nous nous sommes retrouvés derrière un terminus d'autobus. Je ne sais pas pourquoi, mais l'hôtel avait quelque chose de royal même dans le nom.

J'ai ouvert la télévision : un film médiocre que j'avais vu au moins deux fois, *Frances,* avec Jessica Lange et Sam Sheppard. Je me suis dit : c'est l'homme de la situation, il écrit ses textes dans des chambres de motel.

On était au début de septembre. Je devais louer un studio dans une tour et je me retrouvais dans un hôtel à quelques rues de là avec le bruit du climatiseur, la voix de Sam Sheppard et un autre homme qui avait les cheveux noirs.

Ce que je savais d'avant, je l'avais oublié. Nous étions sur le lit étroit. Il y avait la lumière que la télévision renvoyait sur le mur. Sam parlait à Jessica, mais elle disait ne pas se souvenir de lui.

VERSAILLES

Aujourd'hui, une femme a noyé ses deux enfants parce qu'elle en avait assez. Je l'ai appris dans les journaux. Elle avait choisi d'habiter un endroit fréquenté uniquement par les touristes américains.

Je comprends qu'on puisse avoir envie de tuer dans ce coin de la ville. Il y a un énorme centre d'achats, un garage planté au milieu de nulle part et une entrée pour le pont-tunnel.

Autrefois, il y avait aussi, proche de ce motel, un terrain vague clôturé. Nous regardions souvent à travers le grillage Frost pour tenter d'apercevoir les patients de Saint-Jean-de-Dieu.

Je crois que nous confondions patients et employés. Mais cela n'avait pas d'importance. Chacun d'entre nous tentait de retrouver quelqu'un.

Moi, c'était Denis.

Tout ce que je savais de lui, c'était qu'il avait vingt ans quand on l'avait enfermé là. Désespéré par la perte de sa fiancée, il avait été dans l'impossibilité de faire quoi que ce soit.

Vue d'une maison incendiée (photo de J.-L. Desrosiers).

Vue du port dans l'est de Montréal (photo de J. Lambert).

MICHAEL DELISLE

Ciel avec vue

Je sonne. Elle m'ouvre. Je dérange visiblement. Je n'ai pas fini de dire mon nom qu'elle m'interrompt.

— Dites-moi juste c'que c'est, pis j'vas vous dire tout de suite si j'en ai besoin.

— Cuisine avec vue sur croix du mont Royal, lui dis-je, sûr de piquer sa curiosité.

— J'en ai déjà une, répond-elle dans un mouvement pour refermer sa porte.

Je lui explique immédiatement, le pied sur le seuil, que c'est moi qui ai besoin d'elle. Je fais le repérage pour un film. Un film tiré du best-seller *Vêtir ceux qui ont faim.* Je l'assure que je peux voir en une seconde si la cuisine fait l'affaire. Elle se rend et me dit : « C'est par ici. » Elle ajoute en soupirant que je n'aurais pas pu choisir un pire moment. Je la suis. Elle n'est pas très grande. Ses jambes ont le sautillé délicieux de celles de Jeanne Moreau dans *Journal d'une femme de chambre.* Il y a quelque chose d'agréable à suivre dans le talon en équilibre sur le soulier dur. La cuisine est petite. Trop petite. Je ne vois pas une équipe de tournage rentrer là-dedans. La vue, par contre, est parfaite ; c'est exactement ce qui est recherché. « Faites attention, regardez où vous mettez le pied », me dit la dame en enjambant une flaque bien étalée de soupe aux étoiles.

Né le 10 juillet 1959. Écrivain, il habite sur le Plateau Mont-Royal. *Faire mention,* poésie, 1987. *Les changeurs de signes,* poésie, 1987. *Fontainebleau,* poésie, 1987.

Derrière moi, une voix d'enfant s'empresse d'ajouter :
« J'ai pas fait exprès. » La petite fille n'a pas plus de quatre
ans. Sa mère empoigne un torchon et lui dit de ne pas rester là. La fillette monte aussitôt sur la table. Elle regarde
mon Polaroïd avec intérêt.

« Vous m'excuserez », dit la femme accroupie. Elle
éponge la soupe avec une patience exemplaire. Elle avoue
ne pas avoir lu le livre de « mon » film ; elle rit un peu en le
disant. Elle est curieuse de savoir pourquoi la « vue » sur la
croix est si nécessaire. S'agit-il d'un drame religieux ?

Je lui dis que nous cherchons un *signe* de Montréal,
que ça aurait pu être la Place Ville-Marie, mais qu'aucune
cuisine populaire ne donne sur ce genre d'édifice. J'atténue
immédiatement le mot « populaire » ; il m'a vraiment
échappé. Je ne suis pas dans une position pour utiliser ce
genre de ton. Je parlais pour les producteurs, avec leurs
termes. Je ne voulais pas paraître condescendant. Elle dit :
« C'est correct, j'ai un bac en socio. » La fillette ajoute timi-
dement, les doigts dans la bouche : « Moi aussi. »

Quelques minutes plus tard, Carole et moi jasons
sémiotique référentielle et sémasiologie réonymique en
sirotant un café et en gardant un œil attentif sur Martine
qui aspire bruyamment un bol tout neuf de soupe aux étoiles. Carole a un point de vue intéressant sur cette croix
qu'elle admet volontiers comme signature mais aucune-
ment comme sens.

Elle dit qu'il est difficile pour les Montréalais de voir
par quoi Montréal est *marquée* parce que ce sont des choses normalement établies par *l'imaginaire de l'autre*. Les
visions étrangères. Elle cite la tour Eiffel comme exemple
d'emblème urbain, en soulignant que l'objet même indiffère les Parisiens. Mais bien que la croix indiffère généralement les Montréalais, elle n'est pas pour autant le signe

indiscutable de Montréal. Les escaliers sortis et le réseau de galeries souterraines le seraient davantage. De même que les commerces ethniques aux affiches françaises. Ce sont d'ailleurs des détails qui impressionnent les visiteurs.

Le profil de la cité, en contre-jour, suffirait-il à identifier Montréal ? Carole croit que si Montréal avait la notoriété esthétique de New York son profil pourrait agir comme signal générant un plaisir de reconnaissance. Mais ce statut prend au moins un siècle d'efforts à acquérir. Montréal est-elle trop jeune ou son effort de reconnaissance mondiale trop récent ? Cette question reste dans l'air. Carole et moi y songeons. Qu'est-ce qui pourrait remplacer la croix, être aussi évocateur et plausible vu d'une fenêtre de cuisine ?

Je crois me souvenir qu'un ami avait noté que le ciel de la ville montrait, à certaines heures, des couleurs uniques au monde. Nous avons des ciels violets le soir, pêche la nuit et nous avons des aurores d'oranges sanguines. Carole remarque qu'aucun ciel ne peut, ne saurait identifier un territoire, du moins pas au cinéma. Elle est toutefois d'accord pour dire que le ciel de Montréal est particulier. Mais qu'est-ce que cela signifie quand on dit d'un territoire que son ciel est le plus beau ?

À court d'idées, nous regardons Martine et lui demandons ce qui est, selon elle, *le* signe de Montréal. Elle ouvre les bras et crie : « C'est moi ! » Nous rions. Cela me fait penser que Montréal pourrait très bien, avec un contexte approprié, être représenté par une personne. Je regarde Carole et lui demande si elle a déjà pensé faire du cinéma. Elle dit qu'elle a toujours hésité. Et puis, elle ne voudrait pas être obligée de changer son nom. Je lui dis, avec de vagues gestes d'expert, que cette époque est révolue, qu'aujourd'hui tous les comédiens gardent leur vrai nom, c'est même une marque d'authenticité sinon une question d'honneur. Elle me dit, platement, que son vrai nom est Carole Lord. On ne creuse plus la question.

Je dis que je vais tout de même prendre quelques photos de l'évier avec la fenêtre pour montrer à notre client. Martine demande aussitôt si elle peut rester en camisole pour la photo. Ce serait cruel d'interdire. Je l'assois sur la table, et recule de trois pas. Carole s'est mise de côté. Je dis à Martine de sourire et de ne plus bouger. Elle montre ses dents de lait. Elle attend une seconde, puis dit O.K.! sans bouger les lèvres.

*

On la voit mal ici, mais il y a, quelque part au-dessus de la montagne, dans la fenêtre, une croix qu'on voit bien mieux la nuit, quand cette croix s'illumine de mille ampoules. Juste en dessous de cette petite fenêtre, il y a l'évier de cuisine et dans le coin gauche une fillette en camisole. Elle a des cheveux courts et foncés et elle sourit exagérément. Elle occupe tout un coin de la photo. À l'opposé se tient, droite et timide, sa mère. Elle longe le cadre de photo, la tête est basse et la posture est patiente. Elle attend que le photographe prenne la Polaroïd. Elle s'est tassée poliment, se croyant ainsi à l'abri de l'objectif. Il est évident à l'inélégance de son menton rentré qu'elle se croyait hors d'atteinte.

Montréal peut sûrement signer ses cartes postales d'une croix sur la montagne. Mais le sens actuel de cette ville est ailleurs sur cette photo. Il est dans cette ligne imaginaire qui relie le regard de la femme au sourire de la fillette. Imaginons cette ligne comme un fil de temps qui sépare l'attitude réservée et rentrée d'une personne dont le nom sonne familier, personne qui se croit hors cadre, hors champ, qui est sûre de ne pas avoir le droit d'être là et la pose triomphale, en bas à gauche, de l'enfant convaincue, et émouvante en cela, d'être au centre de l'écran. Le sens actuel de Montréal tiendrait donc sur un fil de temps. À moins qu'on ne propose au réalisateur des crépuscules aux couleurs poudre…

DENISE DESAUTELS

Dans une ville étrangère

*L'idée d'un ange, pour moi, avant
tout, c'est l'idée d'un regard.*

Wim WENDERS

Je refais en mémoire le chemin
des ruelles. Y sommes-nous allées?
Pas permises les ruelles
pour les petites filles.

I

Montréal n'est pas Berlin. Et pourtant. Un enfant trapéziste
suspendu au lampadaire se découpe, insolent, sur un fond
de frayeur. Ici, il y a des murs et un couloir opaque entre
les murs d'où surgissent des voix, des odeurs, des délits et
des gestes impropres qui pourraient tacher les petites filles.
On n'y pénètre pas sans urgence ni éclat. Ici, tout se confond : la mémoire passe dans les replis du béton pendant

Née le 4 avril 1945. Professeure, elle habite sur le Plateau
Mont-Royal. *Écritures/ratures,* texte poétique, 1986. *La répétition,*
texte poétique, 1986. *Un livre de Kafka à la main,* texte poétique,
1987.

que je regarde l'ange, le trapèze et la légèreté d'un corps au moment de l'envol. De la contemplation.

II

Elles n'y entreront que par distraction ou par effraction. L'ouverture de la fenêtre grillagée un matin de juillet. Plein soleil. L'épreuve du gris, de l'impur et des sens interdits. Elles se demanderont alors comment poussent les graffiti dans l'obscurité, et ce qu'il advient des rêves quand des surplus d'odeurs les encombrent. Elles seront effrayées et curieuses. À l'affût de l'événement qui justifierait la fuite et l'absence. Un son barbare ou une langue étrangère. Le bout du monde. Il suffit peut-être d'imaginer des déserts inquiétants où l'on marche en épiant les carrés d'ombre et de lumière.

III

Elles ne reconnaîtront que les ombres et le bruit de leurs pas la nuit. L'enfant trapéziste ne sait rien de la peur, rien des gris et des mauves qui métamorphosent les paysages familiers. Elles le regarderont, surprises et attendries. Des fils d'acier traversent le couloir, créant des trajets inédits qui les feront sourire. Enfants, nous jouions à inventer des frayeurs véritables. Nous habitions une ville peuplée de lieux sauvages qui ne nous concernaient pas. Il fallait baisser le regard quand une voix jaillissait des murs poreux. Une voix de sirène qui vous happe au passage.

IV

Plein soleil. Des dessins dans l'espace. Des draps, des couvertures et des robes fauves suspendus dans le vide. Il y a du jeu dans la couleur des lignes. Des reflets incertains, espiègles, qui séduisent. Entre les murs, un lieu inhabité d'où l'on s'écarte par habitude parce que l'été, dit-on, le cri surgit de la moiteur de la nuit. Et des corps passent. Certains traversent les déserts ; d'autres s'en emparent. De là l'équilibre précaire de la couleur sous le soleil. Enfant, j'avais été attirée par le mot *cruelle* peint en lettres noires sur le mur gris. Comme si l'inconnu commençait là.

V

Les certitudes s'effritent au moment où revenir, circuler, traverser, prennent la forme de l'exotisme. Surplombant la vallée, l'enfant trapéziste chante. Il y aurait une autre vie dont on nous aurait caché la vue. Nous aurions été distraites. Nous le pressentions déjà quand le bruit courait entre les murs. Il existait des ruelles habitées où le monde circulait sans drame. Il suffisait peut-être d'en favoriser l'existence. Un gros arbre et quelques fleurs au milieu du désert. Et le goût de l'infiltration ou de l'inscription.

VI

Le devant et le derrière. L'endos du monde. Sa face cachée. Les projets ne naissent pas dans les lieux clos. Ce qui se trame là, en secret, c'est la chute et la perte. On évite la vie en la considérant sous l'angle du gris. Là s'accumulent le désir et le doute. Les pressentiments. Plus tard, il m'arrivera d'y marcher pour éviter certains soupçons. Je souris en pensant que je me condamne alors à la clandestinité. Aujourd'hui, j'ai regardé monter le lierre sur la brique rouge, et l'enfant veilleur m'a surprise en plein vol.

VII

Y revenir, les traverser, s'y égarer. L'attrait soudain d'une ville étrangère sur un corps de mémoire qui ne demande qu'à se perdre un peu. Quand les murs s'ouvrent sur des parcours imprévus, je m'y infiltre. J'apprends ainsi que des jardins intérieurs ont poussé à mon insu et qu'ils recouvrent des images à la fois insoutenables et dérisoires. Des ruelles aux murs flamboyants dépaysent les souvenirs, le regard et l'histoire. C'est Montréal. Ce pourrait être Berlin, je le sais, quand la musique de Nick Cave arrive jusqu'à moi.

LOUISE DESJARDINS

By night

Que fait cette vieille dame, grosse et frisée, voisine confortable, installée près du vestiaire ?

Robe de coton fleuri, très ménagère. Manteau hirsute, en rat musqué. Au milieu du va-et-vient. Sur un tabouret, sans broncher. Visage mi-éclairé par un spot jauni.

Un tableau de Rembrandt sur fond de laque noire.

Elle n'a rien à voir avec le *hard-core*. C'est évident. Sagement assise, comme abandonnée. Aussi déplacée en cet endroit qu'une mouche en plein hiver. Elle observe attentivement les musiciens qui se disloquent sur le *stage*, cheveux longs, combinaison blanche. Elle ne fait qu'observer. Des jeunes qui dansent, s'entrechoquent, se confondent avec les haut-parleurs, et la musique qui se perd dans l'odeur du hasch, violette.

Elle dit bonjour aux clients des *Foufounes*. Avec aisance, comme si elle avait été dans sa cuisine fluorescente, angle Ontario/Préfontaine. En buvant un bon Coke après sa vaisselle. Avec ses joues roses et bouffies de tartes au sucre.

Elle me regarde. Avec indécence.

Lui demander ceci : « Pourquoi êtes-vous venue ici, madame ? »

Laissée pour compte, comme moi, en cette nuit de la

Née le 2 janvier 1943. Professeure, elle habite sur le Plateau Mont-Royal. *Rouge chaude,* poésie, 1983. *Les verbes seuls,* poésie, 1985. *La minute de l'araignée,* poésie, 1987.

Saint-Valentin? Un peu de chaleur, oui, dans cette nuit brisée par la musique Speed Metal. Avec mes jeans et mon blouson qui blouse. Un sourire qui me poursuit dans l'air naïf. Oublier et nous laisser emporter par le brouhaha des danseurs. Nous étourdir un peu dans la couleur de faune, rencontrer quelqu'un peut-être. Faire le guet de l'amour.

Rien d'autre dans la salle que des filles maquillées aux bas noirs troués, des faux travestis, des jeunes clochards, des artistes, des intellectuels *pushers*. Rien d'autre.

Je partirai après ma troisième bière, madame, mais laissez-moi me regarder une dernière fois dans vingt ans. Vous me faites un signe de la main. Ma voisine de table? Que lui voulez-vous à cette fille dans la vingtaine, vaseuse? Laissez-la jouer avec son épingle de sûreté rentrée dans son lobe d'oreille.

— Tu la connais cette vieille là-bas? Elle veut que je te parle.

Elle me répond que si, elle la connaît, que c'est sa mère, sa vieille salope en personne qui la suit partout.

Ce ton dur qu'elle prend pour parler de sa mère. Sa vieille mère aux *Foufounes électriques*.

La fille, la voilà qui se fraie un passage pour aller embrasser sa mère. On devine qu'elle lui dit de partir, de la laisser tranquille. Au moins aux *Foufounes*.

Puis elle revient s'asseoir près de moi, me prend brusquement les mains. Je crie dans le cri :

— Pourquoi me serres-tu les mains comme ça? Vous voulez quoi toutes les deux?

— Fais semblant que tu me connais, me répond-elle les dents serrées, je viens de lui dire qu'elle pouvait s'en aller, que tu vas t'occuper de moi.

— Moi, m'occuper de toi?

La musique joue de plus en plus fort et il fait de plus

en plus sombre aux *Foufounes*. Mes mains moites dans les siennes. Sa mère, avec un petit sourire entendu, qui repart en boutonnant son vieux manteau avec précaution.

J'essaie de me dégager de l'étreinte et je vois les pansements enroulés autour de ses poignets. Des pansements qui pourraient lui servir de bracelets *punk*.

— Quand je bois trop, je me suicide. Ma mère ne veut plus que ça arrive. Ma mère ne veut plus.

— Ta mère doit t'aimer.

C'est tout ce que je trouve à dire. La vieille est partie. La fille chuchote :

— Ça va, tu peux partir, ça va.

JEAN-CLAUDE DUSSAULT

La bohème des maisons de chambres

Je me souviens d'une ville où la vie était douce et si familière, comme dans un village. C'était la bohème des années cinquante, au cœur de Montréal.

Il y avait là, dans le quartier de l'École des Beaux-Arts, délimité par l'avenue des Pins, le boulevard Saint-Laurent et l'avenue du Parc, quelques rues où s'alignaient de belles maisons du XIXe siècle, demeures cossues abandonnées peu à peu aux chambreurs de passage et à toute une colonie de jeunes, moitié artistes, moitié étudiants, qui se refaisaient une vie nouvelle, loin des contraintes des banlieues respectables.

C'était le Montréal des maisons de chambres. « Chambres à louer », répétaient inlassablement de modestes affiches placardant l'une ou l'autre de ces maisons aux lourdes portes à moulures de bois verni, aux grandes fenêtres en saillie et aux lucarnes à pignons ornementés. Un escalier extérieur, de bois ou de fer, menait généralement à l'étage et se prolongeait dans une cage obscure où transpirait déjà l'odeur un peu rance des vieilles maisons mal entretenues.

L'une de ces rues accueillantes, la rue Sainte-Famille, occupait en quelque sorte le centre de ce village. Des arbres vénérables y formaient une allée de verdure dominée au nord par la coupole de la chapelle de l'Hôtel-Dieu,

Né le 9 septembre 1930. Journaliste, il habite à Outremont. *Essai sur l'hindouisme,* essai, 1965. *Pour une civilisation du plaisir,* essai, 1968. *Éloge et procès de l'art moderne,* essai, 1979.

à l'imposante façade sulpicienne, dont les cloches scandaient d'une ancienne litanie la nouvelle vie qui rajeunissait le quartier. À l'autre extrémité, les colonnes pompeusement gréco-romaines de l'École technique bloquaient la vue avec une certaine solennité, dernière touche au cachet un peu européen de ce coin de ville.

Quelques artistes connus y avaient transformé d'immenses salons doubles en ateliers que l'on apercevait facilement de la rue. De plus jeunes s'y installaient aussi, ainsi que dans les rues adjacentes de Jeanne-Mance, Prince-Arthur, Saint-Urbain et Clark, trouvant à s'y loger, deux ou trois partageant souvent un même appartement qui devenait vite un lieu de joyeuses réunions. On y vivait pour un loyer modique que suffisaient à défrayer les allocations d'études ou les revenus de petits emplois occasionnels assez faciles à trouver en ce temps-là. De toute façon, l'emploi utilitaire importait peu dans ce milieu où le « qu'est-ce que tu fais de bon ? » d'une salutation amicale se référait plus à une activité artistique qu'au gagne-pain.

Un vieux divan servant de lit, quelques chaises et une petite table encombrée de victuailles, tel était le plus souvent le décor de ces intérieurs qui sentaient la poussière et le renfermé. Tout y échappait à l'ordinaire : les hauts plafonds de plâtre alourdis de frises et d'enjolivements, les grandes fenêtres sans rideaux, les murs recouverts de reproductions de tableaux modernes, parfois d'une toile encore fraîche, sans encadrement, ou d'un dessin qu'on venait d'y épingler... Les plus audacieux dessinaient à même le mur ou y inscrivaient des poèmes, au grand dam des propriétaires ou des concierges qui trouvaient ces jeunes gens un peu impertinents. Mais l'offre d'appartements dépassait de beaucoup la demande et l'on pouvait se permettre quelques libertés, même celle d'être mis à la porte pour n'avoir point payé son loyer.

Un réchaud à gaz rudimentaire, parfois infesté de coquerelles, était généralement posté dans le corridor et l'entre-fenêtre servait de garde-manger.

Dans ces appartements de hasard se tramait candidement le complot d'une vie nouvelle régie par les bons plaisirs de l'art et les fantaisies de chacun. La mode était aux éclairages tamisés et les lampes torchères à trois intensités, qu'on retrouvait partout, étaient masquées comme des conspirateurs. On s'y rencontrait pour discuter indéfiniment de nos passions naissantes et de nos découvertes esthétiques, autour d'une bouteille de Chianti ou de quelques grosses bières (les « petites » n'existaient pas encore).

Parfois une chanson d'Yvette Guilbert, de Juliette Gréco, d'Uma Sumac, ou même de Félix Leclerc qui commençait à enregistrer, dominait le grésillement d'un disque 78 tours, sur un tourne-disque réduit au squelette de son mécanisme (c'était aussi la mode !). Les plus chanceux possédaient quelques disques 33 tours, grandes nouveautés qui, tirés de leur pochette flamboyante, diffusaient la musique claire des temps nouveaux. Les premiers enregistrements de Béla Bartók étaient alors imprimés pour la première fois sur le nouveau vinyle magique.

On passait d'un appartement à l'autre, car nous étions tous de la même grande famille de la contestation. Nous sortions ensuite par petits groupes dans les rues tranquilles — d'une tranquillité qu'il est devenu difficile d'imaginer — à la recherche d'un café ou d'un restaurant. Sous l'éclairage blafard de la nuit, les édifices bordant les grandes rues dénudées qui descendent de la rue Sherbrooke vers le fleuve se donnaient des allures de décors de théâtre.

Certains vendredis soirs, nous prenions le tramway n° 29, un beau wagon jaune aux lignes aérodynamiques (seul de sa catégorie parmi une flotte de vieux wagons bringuebalants) qui montait de l'avenue du Parc jusqu'au pied de l'Université de Montréal. Le premier ciné-club y présentait au cercle restreint de ses membres les classiques du début de l'histoire du cinéma, les Méliès, les Griffith, etc., mais aussi des films interdits par la censure duplessiste, comme *les Enfants du paradis* de Marcel Carné qui, par un secret cheminement de l'inconscient, allait demeurer pour longtemps le symbole de liberté de notre jeunesse.

JACQUES FOLCH-RIBAS

Une table en ville

Les écrivains écrivaient au café. C'était ainsi en ce temps-là, J.P. Sartrébeauvoir s'installaient *Aux Deux Magots,* et le café devenait célèbre. Il me semblait donc que, le café trouvé, je deviendrais écrivain. Inéluctable. Je me mis en chasse.

Hélas, les banquettes manquaient, c'étaient parfois des stalles alignées chez le Grec du coin, avec au mur des musiques à boutons qui déclenchaient du Presley. Ou alors quelques copies de bistrot parisien, deux ou trois à Montréal, pas plus, où l'on était serré comme les espressos, les voisins vous collaient aux cuisses et plongeaient leur regard indiscret dans votre œuvre immortelle à peine commencée.

Je découvris les tavernes.

C'étaient des jardins zoologiques. Le matin, des animaux préhistoriques rêvaient d'espace, sans doute, seuls devant un verre gras. Pour un autre verre, ils vous racontaient le hobo, la robine, le Klondike et la femme qui les avait abandonnés. J'atteignais midi avec difficulté. Arrivaient alors les carnassiers, les mâles par couples ou en bande, ils dévoraient d'énormes T-bones parfumés de poudre odoriférante de charbon et seuls les mots *deux* ou *deux autres* interrompaient la mastication. Puis un rot, et l'on pouvait parler. J'apprenais, j'ai tout appris, j'ai tout compris

Né le 4 novembre 1928. Architecte, il habite au centre-ville. *Une aurore boréale,* roman, 1974. *Le valet de plume,* roman, 1983. *Le silence ou le parfait bonheur,* roman, 1988.

avec ces lions majestueux qui, lorsqu'ils se levaient pour retourner à leur travail, emportaient avec eux de grands morceaux de chantier, des tuyaux de plomberie, des câbles électriques et parfois, les plus timides, des polices d'assurance et des lambeaux de comptabilité. L'après-midi était réservé aux poissons des profondeurs, presque muets, presque aveugles, naviguant entre deux grosses et six petites à vingt cennes — l'aquarium n'était pas cher en ces temps tranquilles et prérévolutionnaires. Les caelacanthes de l'après-midi me montrèrent d'un geste simple, sans avoir l'air de rien, ce qu'étaient la langue vinaigrée, les œufs durs en bocal et surtout, surtout, le hareng fumé, salé, en filets, que l'on peut consommer sans s'arrêter — pourvu qu'il y ait de la bière.

Alors, ils installèrent la télévision dans les tavernes. La décadence commençait. J'appris le baisebolle et le hoquet. Mon œuvre immortelle n'avançait pas, du moins le croyais-je. Je m'en fus ailleurs, chez les beurrejoies, fortunés et snobinards, qui avaient leurs aises, me dit-on, en des bars, des clubs et des saladîners à serveurs impeccables, mais que l'on n'atteignait pas sans avoir montré patte blanche et cravate à rayures aux personnes-qui-vont-vous-placer. Elles me plaçaient mal, toujours devant des serviettes pliées en triangle, des vaisselles complètes avec du beurre, du pain, du sel, du poivre, de la sauce hachepée, des verres vides, un godet plein d'eau, un menu grand comme *la Presse,* une carte des vins illustrée d'étiquettes collées, et le garçon qu'on appelait serveur me demandait si je prenais l'apéritif. Je prenais. Un Djinemartini descendait du ciel et se posait exactement à la seule place vide de la table. Où mettre mon papier, mes plumes, mes cigarettes, mes lunettes à manches longues ? Je m'étais encore trompé, j'essayais le bar, je faisais l'équilibriste, c'était intenable. J'essayais aussi le club d'hôtel : on m'y accordait un angle de mur bien placé, près du piano sur lequel une ravissante créature exposait trois ou quatre jambes emmêlées et fort excitantes en jetant sur ma personne enfoncée dans le cuir des regards de cinématographe. Elle suçait à la paille bicolore des mélanges gras et moussus, fruités, décorés de tranches d'orange, de feuilles vertes et de cerises. Parfois, elle grignotait du céleri. Deux gentlemen venaient s'asseoir près d'elle, c'était fichu pour moi, je ne voyais plus rien. D'ailleurs, la lumière tamisée ne pouvait porter le nom de lumière que par un effet de litote : les clubs et les bars étaient sombres comme le péché qu'ils entendaient provoquer, mais dissimuler. On ne pouvait ni lire ni écrire, ma place n'était pas là. C'est ce que je me répétais pour recouvrir pudiquement mon peu d'entregent.

Je cherchai des Français, des vrais, si possible avec des moustaches. Dès que je voyais un garçon vêtu de noir et blanc, tablier noué, nœud papillon, ou un restaurant qui s'appelait *Chez Toto, Chez Marcel, Chez la Mère calmée,* n'importe quoi, je fonçais.

Une femme grassette était à la caisse. Bonheur ! Cela ressemblait à quelque chose, enfin ! Elle m'accueillait d'une voix mijaurée, quatre octaves au-dessus, et m'interrogeait sur la température. La météorologie m'a toujours fatigué, souverainement : il ne fait jamais beau dans les conversations, on y remarque une foule de détails qui m'ont échappé, le fondelair, le retard de la saison, l'approche d'un orage s'il fait chaud et d'une tempête s'il fait frais ; la pluie y est considérée comme un phénomène diabolique, sadique, dont il convient de se méfier en plein ciel bleu. Tout cela me faisait perdre un bon quart d'heure tandis que le garçon au faux smoking couvert de pellicules en avait profité pour me ravir mon manteau dans lequel se trouvait le carnet vierge de mon œuvre immortelle, et m'installer à une table près de laquelle il se tenait au garde-à-vous. Je m'asseyais, il me récitait les plats et les spéciaux du jour. Je déteste les spéciaux du jour, ils sentent l'arnaque et, si vous les refusez tous, vous êtes classé : un emmerdeur.

Il y avait de jolis plats à la carte avec des noms historiques, le lapin moutarde, les rognons vin blanc, la blanquette de veau, le boudin aux deux pommes. Je passais un autre quart d'heure à faire un menu. Alors, c'était le vin. À l'époque, nous avions du Bordeaux, et le désert. Le Bordeaux se prononçait avec la bouche en cul de poule, il faisait français, au courant, méfiant et importé. J'y allais du Bordeaux. Puis les plats, qu'il convenait de commenter avec le garçon, la patronne et même les voisins. C'était, me disait-on, la convivialité. Elle ne facilite pas le travail de l'écrivain, je m'étais encore fourvoyé. J'avais confondu consommation et concentration. Addition. Monsieur a-t-il aimé ? Monsieur avait aimé, il partait alourdi de Bordeaux, ruiné, et se promettait de n'y plus revenir.

Ainsi, j'ai rêvé de cafés anonymes, de longues tables alignées, de marbres éclatés, de cendriers vastes et de garçons mous qui vous méprisent de lire ou écrire depuis trois heures devant un café refroidi… J'ai rêvé d'entrer dans un dessin de Picasso ou de Lautrec. J'étais jeune et déjà désuet. Intoxiqué par la littérature rituelle, existentielle — ciel ! — et morbide. Et pendant ce temps, autour de moi qui ne voyais rien, une ville était en train de changer. Montréal devenait une vraie ville, c'est-à-dire un lieu où quelque chose vous échappe de jour en jour. Où vous découvrez autre chose, toujours. Où se sont donné rendez-vous les cafés, les bars, les restaurants du monde entier, mais d'aujourd'hui. Où se font les mythes de demain. Rien n'y ressemble à rien, qu'à Montréal. Comment faire pour dire cette ville ? Ce serait comme décrire la femme qu'on aime ? Impossible. Il faut attendre que ce soit désuet, voyons, c'est l'évidence. Voilà pourquoi je n'écrirai pas mon œuvre immortelle, il faut que je me fasse une raison.

DANIELLE FOURNIER

Aéroport

et repartir, me dis-tu, de l'avenue du Parc à Jean-Talon ; puis l'Acadie, jusqu'à l'autoroute Métropolitaine ; de là deux possibilités : ou Dorval ou Mirabel ; oui repartir comme repentir, non, partir pour rester et revenir ; qui suis-je pour ainsi être abandonnée, pour ainsi tout quitter ? qui es-tu, ou as-tu été, pour me laisser là, plein centre-ville : Mont-Royal ; partir, partir, que ce mot ; partir, loin, tellement loin, très loin, afin que sentir quelque chose ne veuille plus rien dire, partir se glisser entre deux couches d'asphalte ; à l'intersection j'hésite. Je prends toujours la gauche, sur la 15, vers Dorval, vers l'attente sans départ.

sortie 1 km : viens ici, asphalte verte, prochaine sortie, toi, retour ou départ ; retour ou départ ; retour ou départ ; autant de fois, comment y survivre et encore et toujours dis-moi, oui dis-moi bien ce qu'il faut que je fasse, quelle route dois-je prendre, dis-moi la seule date, la seule heure, le seul jour, le seul lieu, dis-moi, le calme de la nuit noire coulée à pic dans ta détresse puis, être là, arrivée/départ, à côté de moi, parking : tarifs jour, semaine, mois ; le pressentiment que c'est moi qui pars : deux fois juin

Née en 1955. Professeure, elle habite à Outremont. *Les mardis de la paternité,* récit poétique, 1983. *De ce nom de l'amour,* récit poétique, 1985.

une route, un chemin, une voie, un coup de téléphone, puis à nouveau ce bruit de ciel déchiré, cette peur d'être allée trop loin, sur la voie interdite aux passagers, d'avoir dépassé la frontière, le barbelé, et de l'autre côté, passage interdit aux piétons (encore, me dis-je?) alors cette peur de ne pas le trouver, encore la route, noire, un chemin, glissant, une autoroute, bondée, une voix de service… un interurbain, le silence à l'autre bout du fil, « a long distance call from… », et encore et encore la route, un cri, le seul cri possible, l'odeur du corps laissé là, le matin, trop tôt, le matin sans éveil, le matin où ça repart, se sépare, va ailleurs. Dit-on au revoir au bout de ses larmes?

ne sais plus l'arrivée le départ connais le froid le vide l'odeur de la sueur les mains salies reconnais le bruit de chaque avion des visages de femmes d'hommes d'enfants l'angoisse derrière la peau dans le corps la boule dans la gorge, ne peux plus avaler ni respirer ni bouger ni parler que voir derrière les larmes sais le pas le nombre de pas d'une porte à l'autre le mouvement du regard de la porte au moniteur les heures qui changent et les aiguilles de l'horloge qui ne changent pas d'heure toujours la même ici là connais la route la destination et puis rien ne connais plus rien ne sais plus rien ne reconnais rien que le noir du retard

et dans la pénombre, cette ombre, ni humaine, ni divine, ni animale; l'ombre des traces: un corps. Quelle sortie déjà? Combien de temps encore? Combien de kilomètres? Quelle sortie? Quelle heure? Ai-je assez d'argent? d'essence? de temps? La distance, toujours la distance entre ce lieu, toi et moi, entre le centre et ce lieu, entre toi et moi. Le combler, me dis-je, combler la distance, me dis-

je. Venue de nulle part pour aller te chercher hors de moi.
Et si aller te chercher était me retrouver?

LUCIEN FRANCŒUR

Jours tranquilles

cette ville que je cherchais et qui me trouvait toujours là où il fallait je marchais dans Montréal la nuit le jour et autrement dit cette ville cachait mon mal d'être dans l'exposition de ses rues à sens unique, je descendais sur Hôtel-de-Ville où les filles faisaient la pluie et le beau temps, puis je m'arrêtais rue Saint-Laurent Montréal Pool Room deux hot-dogs une patate et un Coke en regardant ma Harley Davidson contre la chaîne du trottoir avec dans la tête cette chanson de Gainsbourg chantée par Bardot : « Je n'ai besoin de personne en Harley Davidson… », parfois j'allais m'asseoir seul au centre-ville et je contemplais les étoiles en *perdant magnifique* j'attendais que la Grande Ourse se transforme en Auberge de bohémien et je rêvais de longues heures enfoui dans les langueurs d'herbe, que de réminiscences Montréal mon adolescence et ma délinquance, ma déviance et ma délivrance, que de souvenirs en bleu denim et d'amours à tout casser, je me retrouvais parfois sur le mont Royal et j'inhalais la ville à perte d'âme, petit spectacle des lumières, je repartais en Harley Davidson comme Marlon Brando dans *The Wild One*, ô Montréal mon Amérique familière, ma ville des grands buildings comme des totems de gloire, et soudain la grande Sainte-Catherine

Né le 9 septembre 1948. Écrivain et chanteur, il habite à Notre-Dame-de-Grâce. *Les rockeurs sanctifiés,* calligraphies, 1982. *Exit pour nomades,* poésie, 1985. *Si Rimbaud pouvait me lire,* prose, 1987.

Street m'interpellait d'ouest en est et de retour coin Saint-Laurent, centre-ville de luxure et de promiscuité, belle ville de mes randonnées en cachette de l'univers, Montréal des subterfuges et des rendez-vous interdits, ma belle solitude urbaine à pleins néons quand je chantais le Mal de Montréal derrière mes Ray-Ban de Sky-Pilot en vol de nuit au centre de moi-même, ville des petits matins de héros restreints, je marchais dans cette ville l'hiver l'estomac dans les talons, dormant dans les entrées d'édifices, mais l'été revenait toujours plus improbable que jamais, j'aimais cette ville en été la nuit le jour, cette ville je la désirais en été absolu, interminable summer time blues en Harley Davidson, T-shirt et tatouages, Montréal, graffiti à l'envers du siècle et secrets bien gardés, je marcherais encore dans tes rues, à la tombée du jour comme au p'tit matin, en santiag dans l'aube, ma déréliction a ton nom, Mtl m'entends-tu ma déréliction a ton nom m'entends-tu Montréal, mon mal d'amour à cœur de jour, rock-désir amadoué d'amour fou Montréal ô ville de mes lignes de fuite, de ma déterritorialisation à tout propos, Mtl, j'aime tes ailes, j'm-t-z'ailes, moi l'Oiseau de Vie, l'aigle chauve des volte-cimes en gratte-ciel, j'aime tes ailes Montréal un point c'est tout, et à bout de souffle je reprends ma marche dans tes rues qui portent le nom de mon errance, et je marche, je déambule, non je mens, c'est en auto ou en moto que je te traverse de long en large et te fouille et que j'y trouve toujours mon compte, ville aux mille clochers résignés, belle ville des multiples rencontres internationales de jazz et de cinéma, que j'aime tes ailes de nuit, que j'aime tes airs d'aller, c'est pourquoi je te suis fidèle malgré tout…

CÉCILE GAGNON

Myriapolis

Avec un rire souterrain… pour Nicole D.

Jamais plus le royaume des myriapodes* ne sera tel qu'il a été. Pays de fraîcheur où le bruit était inconnu, il fut un habitat recherché par de nombreuses générations d'iules** — dont je suis — vivant calmement en harmonie avec le paysage. Sachez que le pays jouit d'une géographie variée : cours d'eau tranquilles, plages sablonneuses, escarpements de roches granitiques, étendues d'argile de textures et de couleurs variées, le tout baigné d'une pénombre douce et d'un silence bienfaisant.

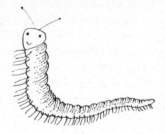

* Classe d'animaux dont le corps est formé d'anneaux portant chacun une ou deux paires de pattes.
** Mille-pattes.

Née le 7 janvier 1936. Écrivaine, elle habite à Outremont. *Alfred dans le métro,* roman, 1980. *Un chien, un vélo et des pizzas,* roman, 1987. Dans la série « Léon », quatre albums illustrés pour les tout-petits, 1985-1988.

Le secteur routier est extrêmement bien développé et permet des échanges continus entre les deux cités : Myriapolis-la-Verte et Myriapolis-la-Grise. Nous voyageons très facilement — à pied — par des chemins qui datent de la formation de la terre et qui n'ont absolument rien à envier à la voie Appienne. En cours de route on peut prendre des bains de boue, faire des détours et, si on en a envie, dévaler des précipices et escalader des montagnes.

Il est vrai que, pour aller d'une cité à l'autre, le chemin est long mais la patience et l'obstination font depuis toujours partie de nos qualités.

Et puis, on connaît des trucs : quand il rencontre un danger, l'iule a l'habitude de se rouler sur lui-même et de rester immobile. Une méthode extrêmement efficace reconnue comme géniale jusque dans les plus grands musées du monde, paraît-il.

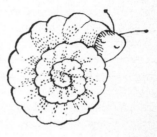

Ça c'était avant.

Il me faut avouer que les événements récents qui se sont abattus sur nos régions ont tout bouleversé. Ils ont eu raison aussi de nos plus tenaces résistances et avalé bon nombre de nos traditions. Tout a commencé avec le bruit. Des sons terribles, des sifflements, des explosions jumelées à des mouvements et tremblements insolites repérés jusqu'au fin fond de nos domiciles et palestres.

Aussitôt après, nous avons fait la connaissance d'un élément tout à fait étonnant qui nous a littéralement éblouis. Il s'agit de la lumière que nos savants ont mis un certain temps à identifier et à codifier. Mais, au moment où je vous parle, nous sommes très au fait ; nous distinguons la lumière dite naturelle et l'autre, plutôt imprévisible mais nettement plus divertissante : l'artificielle. Cet avènement a entraîné des changements majeurs non seulement dans nos vies — on s'en doute — mais même dans notre apparence.

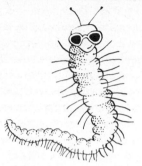

Ensuite, Myriapolis a connu une grande période de peur. Le bruit, la lumière n'étaient pas de si grands fléaux en comparaison de ceux qui suivirent. Nos éclaireurs nous confirmèrent qu'une race de géants tentait, par des procédés très étranges et horriblement bruyants, de s'approprier nos réseaux routiers, d'en modifier leurs tracés, de les élargir, de détourner nos cours d'eau, de boucher nos ravines, de défoncer nos calmes demeures ! Une pure et simple catastrophe !

Les paysages aimés se mirent à disparaître ; nos chemins coupés ; nos montagnes nivelées ; des sons métalliques épouvantables hébétaient les uns, suractivaient les autres. Cette fois, c'en était trop ! Vélocius, notre chef iule, nous fit une description alarmante des bipèdes qui opéraient sans vergogne dans le royaume, sans aucune permission et faisant fi de toutes les règles de bienséance. Il convia tous les habitants à une manifestation de protestation destinée à chasser l'ennemi envahisseur pour de bon.

Réunis ensemble sur la grande place avec affiches et pancartes, nous commencions à marcher pacifiquement quand l'un de nous remarqua un objet brillant par terre. La chose tâtée se révéla délicieuse. On sut plus tard que c'était un emballage de *Mae West*. Une grande curiosité s'empara de la foule. Les iules se lancèrent à l'assaut de ces nouveaux détritus. Jamais on n'avait goûté de telles saveurs, humé de tels parfums! Miettes de hamburgers, croûtes de pizza, parcelles de frites furent englouties; cartons sucrés, cornets salés, dégoulinades de moutarde et de ketchup séché, papier collé, papier fumé, papier ciré : inépuisables délices! Tout le pays jubilait. On abandonna nos contestations, car tous et chacun venaient de comprendre que nous allions entrer dans une ère nouvelle.

Petit à petit, les myriapodes s'habituèrent à la violence des sons, aux coups de vent et aux éclats de lumières de toutes couleurs et intensités.

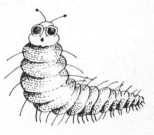

Notre adaptation à une vie nouvelle s'opéra sans douleur. Nous étions gavés d'exotiques détritus de toutes sortes, tant et si bien qu'on se mit à croiser des iules obèses.

Mais il restait le transport.

Nos chemins demeuraient coupés, nos routes détournées. Comment allions-nous pouvoir nous réunir tous à Myriapolis-la-Grise, pour la SuperMillePattofête annuelle? Tous les iules se creusaient les miniméninges pour trouver une solution. Même Vélocius n'y arrivait pas. C'est alors que déboucha dans nos ex-tunnels, un bon matin, un étonnant tube bleu, tout lustré et miroitant, filant sans faire de bruit. C'est cette étrange bête qui allait nous fournir un moyen de transport épatant et du même coup régler le dernier de nos problèmes vitaux. Myriapolis accéda ainsi à la modernité et les iules, champions depuis toujours des communications souterraines, perdirent tous leurs complexes.

Finis les longs trajets à pied et les interminables randonnées! Maintenant, on voyage rapidissimo!

Et la SuperMillePattofête? Bien sûr que nous y allons!

— Tu viens, Inès? Faudrait pas arriver en retard.

— À quelle station descend-on?

— À Lionel-Groulx, bien sûr.

— O.K. J'arrive. Oh! c'est chouette, hein, le métro?

DANIEL GAGNON

Ô ma pauvre ville!

Ô ma pauvre Montréal! Je t'habite, exsangue *city!*
Dans ma rue, il y a eu un meurtre hier soir; nous avons
recueilli le chat du mort. La morgue est venue chercher le
cadavre. Est-ce toi, ô ma ville, sur cette civière? On monte
ton âme à bord du fourgon. Ville déserte, où as-tu mis tes
énergies? Tes ormes sont morts, tu laisses les spéculateurs
te souiller, tu les laisses ronger tes parcs et tes espaces
verts. Tu es irrespirable, ville creuse, poumon noirci,
vieille gadoue!

La voisine crie après son chien esquimau, les drogués
font la queue chez les Jamaïcains. Ô Montréal, ma pauvre!
Derrière chez nous, l'autoroute Décarie meugle et dégorge,
elle pue; nous l'entendons rouler comme une chute,
comme une cataracte qui gronde à nos pieds; elle est un
filet de sang noir, une grosse varice dans ta cuisse. Ô ville!
Tu vomis, tu craches sur la tête des sans-abri tes tonnes
d'anhydrides et d'acides. Tu te pares d'édifices, tu brilles de
tous tes feux sur le fleuve, mais tu es un faux bijou, ta
richesse n'est que du toc. *Shame on you,* Montréal! Tes
pauvres déambulent dans tes souterrains, ils se cachent
dans ton ventre malade. Tu nies ton cancer, ô Montréal!

La folle qui venait quêter à notre porte est morte. Elle
s'est jetée en bas du toit de son immeuble; elle cherchait

Né le 7 mai 1946. Peintre, il habite à Notre-Dame-de-Grâce.
La fée calcinée, récit, 1987. *Ô ma source,* roman, 1988. *Riopelle,
grandeur nature,* essai, 1988.

ses clés, les clés du paradis. La poussière des travaux cache le soleil, le bruit des machines enterre les cris des ex-psychiatrisés ; on pave l'avenue pour qu'elle serve de lit aux jeunes déchus. Les riches de Notre-Dame-de-Grâce et de Westmount viennent promener leurs chiens et leurs chiennes chez nous, près de la voie ferrée ; ils leur font faire leurs crottes comme des carottes devant nos portes. Les Noirs chantent les Antilles, les néons blancs phosphorescents du hall d'entrée de leur taudis les noircissent ; bois d'ébène, beautés perdues, ils font des parties jusque tard dans la nuit.

Ô Montréal ! Le canal Lachine écoule ses eaux mortes et nauséabondes. Les navires n'y passent plus. Les enfants pêchent à la ligne des crapets soleil luisants de vers ; les chutes de la barrière Saint-Henri sont brunes et sentent l'égout. *Shame on you,* Montréal ! Le soleil plombe sur les vélos, sur les filles étendues dans l'herbe pour bronzer, près des roues des camions géants, dans le poudroiement d'or des saletés atmosphériques.

Notre voisin repeint sa camionnette rouillée ; il vidange son huile dans l'avenue. Il a aussi une Harley Davidson dont les pistons donnent des coups au cœur et au sexe de toutes les filles ; il les siffle, il leur crie des obscénités ; elles passent dans leurs blue-jeans délavés, déchirés exprès pour rire à la face même de la pauvreté.

Le canal Lachine stagne et croupit entre les usines désertées. Montréal, que fais-tu ? Où as-tu rangé ta beauté ? Ton histoire ? Tes découvreurs ? Ton front glorieux ? Tes Indiens ? Le fleuve se meurt le long de tes flancs pollués. Montréal, chère ville, ta magie n'agit pas dans mon avenue. Tu donnes pourtant de beaux concerts dans tes églises, mais cela n'empêche pas les riches de fuir à l'île des Sœurs dans des tours, dans des châteaux verrouillés à clé et surveillés par vidéo. N'as-tu plus d'idéal, Montréal, pour laisser la place aux profiteurs et aux voleurs de grand chemin ? *Shame on you,* Montréal !

Le canal Lachine coule lentement vers l'est, vers l'Orient. Nous ne trouverons pas les épices et l'or de l'Inde, ni les trésors de Chine, nous ne trouverons pas la route de la soie.

Nous savons qu'il reste encore quelques arbres dans tes beaux quartiers, Montréal, des abris, des lieux de silence, des bouts de parc où il y a des femmes qui lisent sous les frênes, des vieux qui dorment assis, les yeux ouverts, des amoureux qui se tiennent la main, des enfants qui jouent au ballon sur le gazon vert. Nous savons, ce n'est pas pour nous, c'est loin là-bas. Chez nous montent ta clameur, ta fumée gris-brun qui prend à la gorge, ton atmosphère délétère. Les capitalistes convoitent nos bancs de parc, nos centimètres d'herbe.

Montréal, tu es cette vieille à moitié nue qui se fait bronzer sur la languette de verdure entre le trottoir et la maison de chambres ; couchée dans les pissenlits écrasés, elle fume. Elle n'a pas daigné chausser son dentier. Elle s'assoit de temps à autre pour prendre une gorgée de sa bière, elle feuillette une revue chiffonnée, elle nous interpelle de sa grosse voix mâle. Sa famille l'a abandonnée, elle attend ici la fin, ses enfants ont honte d'elle, elle les reçoit à coups d'injures. Montréal, *shame on you !*

Il fait chaud en fin de semaine. Le maire est à sa résidence secondaire. Les riches se baignent dans leurs piscines en province, ils font de la voile, ils jouent au tennis, ils voyagent, ils échangent des cadeaux, ils se plaignent de la cherté de la vie, ils sont beaux. Nous, nous sommes laids et mal élevés ; nous marchons rue Saint-Rémi, Pullman et Walnut sous l'autoroute Ville-Marie.

Nous mettons nos maillots de bain ; la vieille édentée se lève. Elle tient le boyau d'arrosage et nous vise ; elle rit pour s'étouffer. La fraîcheur de l'eau est un bienfait ; pas besoin de lac, de rivière ou de chalet. Nous ouvrons une autre bière, les enfants pataugent dans la vase, nous brunissons. Ô Montréal, nous t'aimons ! *Shame on you, Montréal* !

LISE GAUVIN

Le brunch

Très vite le brunch du dimanche était devenu pour eux celui du samedi. À cause du plus grand quotidien français d'Amérique, qui sortait ce jour-là une volumineuse édition — cahiers information, sports, vivre aujourd'hui, arts et spectacles, économie, vacances-voyage, carrières et professions, annonces classées — à laquelle ils n'osaient se soustraire tout à fait. Après enquête et vérifications, ils en étaient venus à établir leurs quartiers à *l'Impérial,* où le rapport qualité-prix leur paraissait le meilleur. Ils préféraient son ambiance postmoderne à celle, plutôt « granola », du *Bloc-notes,* situé juste en face, où d'ailleurs l'éclairage du matin laissait fort à désirer. *L'Outremontais,* agréable durant la semaine, devenait infréquentable le samedi, assailli par des acheteuses aux toilettes voyantes venues magasiner dans la rue, ou par des couples d'homosexuels réjouis, évadés de quelque boulevard périphérique, cachant leur crâne dégarni sous des perruques jaunasses. *L'Intransigeant* et *l'Intrépide* avaient cédé à la détestable manie — calcul mesquin et, somme toute, peu habile — d'exclure de leur menu du brunch le bol de café au lait — qui en est pour ainsi dire la principale composante, marquant ainsi de façon non équivoque la différence entre le brunch des cafés-restaurants montréalais et les buffets du

---

Née le 9 octobre 1940. Professeure, elle habite à Outremont. *Parti pris littéraire,* essai, 1975. *Guide culturel du Québec,* essai, 1982. *Lettres d'une autre,* essai/fiction, 1984.

même nom proposés le dimanche dans les grands hôtels pour touristes — et de l'offrir à la carte. *Les Gourmandises* et *l'Équilibriste,* à cause de leurs proportions exiguës, boudaient le brunch. Quant à *l'Instantané,* ses tables trop rapprochées permettaient difficilement de déplier les coudes et d'ouvrir les bras pour lire le journal sans accrocher les lunettes du voisin. À moins de s'installer au comptoir, endroit réservé aux célibataires ou aux personnes non accompagnées. Ce qui avait pour effet pervers de laisser planer le doute, quel que soit le degré d'intérêt manifesté pour les pages culturelles, à savoir si le journal était prétexte ou nécessité. Mais il y avait toujours trop de monde à *l'Instantané,* trop de bruit, trop d'échos. On risquait chaque fois d'être relégué au fond de la salle, dans le coin sombre, éclairé seulement par un miroir indiscret. Ils en étaient cependant arrivés à la conclusion que c'est là que le jus d'orange était le plus frais, les demi-baguettes grillées les plus appétissantes et le café au lait le plus savoureux. Tout cela pour la modique somme de… fin du commercial.

Ce samedi-là, à *l'Impérial,* ils avaient pu choisir la table qui se trouvait légèrement en retrait de la fenêtre, à l'angle du mur. En gros plan, dans la vitre, trônait, tel un soleil, un majestueux monocycle des années vingt. Tout leur plaisait dans cet endroit, qu'ils qualifiaient d'heureux mélange de modernisme et de rétro. Le noir des chaises de type « bistro » était atténué par les tons de vert, d'ivoire et de gris des murs. D'imposants miroirs aux cadres de dorure ancienne voisinaient avec des gravures, des portraits et des certificats de toutes sortes. Plusieurs plantes vertes s'étalaient dans les coins et le long d'une rampe qui délimitait l'espace réservé aux tables. Une lampe blanche était suspendue au-dessus de chacune d'elles. De niveaux différents, ces petites tables de marbre rondes accentuaient l'air de légèreté de l'ensemble. Bref, on voyait là beaucoup d'objets, mais sans surcharge.

Ils commandèrent, comme à l'accoutumée, un Canadien (toasts, œufs frits, bacon ou jambon) et un Français (croissants ou baguette, œuf à la coque, jambon, fromage), négligeant le Continental (café-croissants) et laissant l'Allemand (pain de seigle, œuf à la coque, jambon de Westphalie) ainsi que le Norvégien (bagel, saumon fumé, fromage crème, tomates, oignons) à des clients plus affamés. Le menu du brunch proprement dit (mousseux, œufs « Benedict » et dessert) leur semblait peu approprié. Ils lurent leur journal avec application, l'épluchant de ses sections les moins intéressantes, qu'ils abandonnèrent sur une chaise.

Il y avait ce jour-là au café un comédien dont le rôle venait d'être fort remarqué dans une minisérie à la télévision, un éditeur de livres pour enfants qui faisait des travaux pratiques avec la fille de sa nouvelle amie, un poète aux mots rares et une future artiste-peintre. En plus évidemment des habitués — celui qu'on voyait entrer tous les samedis à la même heure, hagard, ne reconnaissant personne, encore plongé dans sa séance hebdomadaire de psychanalyse, celui qui lisait toujours le même livre, celle qui rêvait, celle qui commandait invariablement des frites et un ballon de rouge — et des copains venus saluer les serveuses, elles-mêmes étudiantes, dont l'amabilité compensait le métier peu sûr. C'était le printemps. On devinait des projets dans l'air. Une petite tension sur les visages. Des reflets de mer dans les yeux. Quelques bicyclettes, déjà, passaient dans la rue.

Ils restèrent à leur table un peu plus longtemps que d'habitude. Quand ils voulurent régler leur addition, ils s'aperçurent que leur serveuse avait terminé son service et ils durent se rendre directement à la caisse. C'est là que se

trouvait, comme chaque samedi, le patron de l'établissement, surveillant de près chacune des opérations. Ils
demandèrent : « Un Canadien et un Français, c'est combien ? » Il répondit : « *Ten dollars.* » Ils dirent : « Combien ? » Il répéta : « *Ten dollars.* » Ils s'inquiétèrent :
« Pardon ? » Il leur montra l'addition. Ils payèrent en
silence.

Depuis ce temps, ils admirent de loin, non sans nostalgie, le grand monocycle suspendu dans la vitre. On vient
de leur apprendre qu'il y a eu, récemment, un changement
de propriétaire à *l'Impérial*. En se rendant au « bistrot »,
samedi dernier, joyeux et sifflotants, ils ont pu lire l'inscription suivante :

À nôtre [*sic*] aimable clientèle
La maison sera fermée du 20 juin au 6 juillet (inclus)

ROBERT-GUY GIRARDIN

La diglossie

Le client	: Bonjour, mademoiselle.
La caissière	: Bonjour.
	Morning.
Le client	: Avez-vous du schnaps?
La caissière	: Nous en avons.
	Yes, we do.
Le client	: Est-il arrivé récemment?
La caissière	: Je n'sais pas.
	I don't know.
Le client	: Savez-vous de quel pays il provient?
La caissière	: Je n'sais pas.
	I don't know.
Le client	: Vendez-vous d'autres marques que celle-là?
La caissière	: Je n'sais pas.
	I don't know.
Le client	: Classeriez-vous le schnaps parmi les gins ou les whiskies?
La caissière	: Je n'sais pas.
	I don't know.
Le client	: Travaillez-vous ici depuis longtemps?
La caissière	: Depuis neuf ans.
	For nine years.

Né le 26 mai 1938. Linguiste, il habite à Notre-Dame-de-Grâce. *Peinture sur verbe,* récits et aphorismes, 1976. *L'œil de Palomar,* récits et aphorismes, 1984.

Le client	: Avez-vous suivi une période d'entraî-nement?
La caissière	: Oui m'sieur. *Yes, Sir.*
Le client	: Combien de temps a duré la période?
La caissière	: Quelle période? *What period?*
Le client	: Votre période d'entraînement?
La caissière	: Une semaine de *training* pour la caisse, un jour pour les étagères. *One week of training for the cash, one day for the shelves.*
Le client	: Vous voulez dire présentoirs?
La caissière	: Je n'comprends pas. *I don't understand.*
Le client	: Comment savoir alors?
La caissière	: Savoir quoi? *Know what?*
Le client	: Savoir tout sur le schnaps…
La caissière	: Vous pouvez lire l'étiquette. *You can read the label.*
Le client	: C'est une excellente idée.
La caissière	: Quelle idée? *What idea?*
Le client	: Votre idée…
La caissière	: J'pense que oui. *I think so.*
Le client	: Enfin…, combien vous dois-je?
La caissière	: Onze piasses. *Eleven dollars.*
Le client	: Merci, mademoiselle.
La caissière	: Bienvenue. *Welcome.*

Le client   : Pourriez-vous me donner l'heure, s.v.p.?
La caissière : Cinq heures cinq.
               Five past five.
Le client   : Je suis le dernier client?
La caissière : Oui, m'sieur.
               Yes, Sir.
Le client   : Comment faire pour sortir?
La caissière : Vous tirez la chaîne et vous poussez la
               porte.
               You pull the chain et you push the door.
Le client   : Pourriez-vous me parler français?
La caissière : Impossible, j'suis bilingue.
               Impossible, I'm bilingual.
Le client   : Pourriez-vous me parler anglais alors?
La caissière : Impossible, j'suis bilingue.
               Impossible, I'm bilingual.
Le client   : Eh bien…! au revoir, mademoiselle.
La caissière : Bonjour.
               Goodbye.

Et le client sortit, se retournant et s'interrogeant sur ce bilinguisme auquel les spécialistes donnent un nom de maladie… la *diglossie.*

Seul, avec sa seule langue, il erra longtemps dans cette étonnante ville où la langue parlée est bilingue, se répétant d'une oreille à l'autre : bonjour, *goodbye;* bonjour, *goodbye;* bonjour, *goodbye.*

THE MONTREALER

Dans l'immeuble où Jim habitait, il était le seul à ne pas parler la langue des autres. Il n'avait pas d'idées particulières sur les avantages ou les inconvénients de l'unilinguisme, mais il pensait que dans l'Au-delà Dieu parlait anglais et les démons français.

Chaque jour, depuis vingt ans, il s'étonnait de l'étrange langue de ses voisins et grommelait quand certains mots trop de fois répétés venaient altérer son unilinguisme. L'étonnement passé, il vaquait normalement à ses occupations puisque, s'il ne comprenait personne, tous le comprenaient. Il n'aimait plus Montréal et vivait retiré, mais toujours serein, à l'angle des rues Sherbrooke et Saint-Denis.

LISE HAROU

Une ville où vous croyez rêver

> *C'est une des ruses des villes que
> de nous faire croire qu'elles sont
> éternelles.*
>
> J.M.G. Le CLÉZIO, *Haï*

Celle-là n'est pas éternelle. Et voudrait-elle nous le faire croire qu'elle y parviendrait difficilement, parsemée qu'elle est de gigantesques chantiers d'où émergent des tours de verre, d'étranges édifices de brique que leurs habitants vont se répartir en parts inégales. Ces parois qui s'élèvent, de plus en plus nombreuses, viennent rejoindre les pans de lumières déjà érigés ici et là, de sorte que c'est un miroitement sans cesse changeant. La nuit, c'est quelque chose d'autre : un paysage presque fantastique, qui fait écran entre celui qui regarde et le ciel étoilé. Il paraît que le grand Jacques Ferron s'était attardé à la magie captive de ces échafaudages de béton et de verre qui étaient pour lui « les châteaux de la nuit ».

Dans cette ville-là, du matin jusqu'au soir, sans exclure non plus la nuit avancée dont les frontières avec le jour suivant sont presque inexistantes, il y a beaucoup à

Née le 20 mai 1950. Linguiste, elle habite à Westmount. *Chroniques souterraines,* roman, 1981. *Devant l'étang,* récit, 1984. *À propos de Maude,* récit, 1986.

voir. Entre l'espace aérien et les souterrains du réseau de transport métropolitain, il y a le quadrillage toujours surprenant des rues qui ont leur vie propre, souvent organisée par portions distinctes suivant les différents points cardinaux, ou d'autres axes moins faciles à cerner. Le spectacle est constant et peut surgir de n'importe où.

Quelqu'un dort sur un banc auprès d'une fontaine, abandonné comme au plus secret des chambres ou des jardins et vous êtes ému par ce corps sans défense. Quelqu'un d'autre, qui vit dans les rues, fait la sieste sur un trottoir ou sur un coin d'herbe ; un frisson vous parcourt : quelle solitude ! Un peu plus loin, un homme réfléchit, l'air complètement absorbé, au point de laisser passer sans réagir l'autobus qu'il attend. Une jeune femme lit devant un bol de café au lait, indifférente au brouhaha des allées et venues, des commandes et du service. À certaines heures, la foule est dense sur les trottoirs : vous vous dites qu'enfin c'est la grande ville. De très nombreux indices vous empêchent d'oublier que c'est l'Amérique du Nord, mais rien ne peut empêcher tout à fait que vous puissiez aussi en même temps vous croire un peu ailleurs. Car il y a tous les étalages de fleurs dans les rues, presque en toutes saisons, qui voudraient vous persuader que vous vous êtes mépris sur le lieu. C'est sans doute Amsterdam ou Paris. Et vous rêverez ensuite en marchant, distrait, par exemple dans la rue Saint-Jacques, ou en empruntant une certaine ruelle du Vieux-Montréal : là aussi vous êtes ailleurs et vous ne savez pas trop où. Le plus facile serait de dire que c'est proche de New York par certains aspects. Vous interrogez alors l'architecture, indécis. Vous êtes décidément parfois ailleurs chez vous. De belles maisons victoriennes vivent et revivent dans la verdure de certains beaux quartiers, ou ce sont, si vous allez dans d'autres directions, des maisons peintes de toutes les couleurs, avec des escaliers de fer et des balcons romantiques. Vous sortez pour acheter des fruits et du savon et vous croyez être en voyage. Il y a toujours tel ou tel visage jamais vu qui vous fascine. Vous voudriez vous arrêter et vous offrir le spectacle de ces innombrables figures énigmatiques : il y a des vieillards et des enfants, les costumes sont inattendus, les couleurs réchauffent votre humeur morose. Certains s'empressent vers des points opposés, d'autres sont plus nonchalants, flâneurs. Plusieurs sont plongés dans des livres ou penchés sur des journaux. Des garçons musclés se précipitent avec leur roulis-roulant sur les obstacles les plus invraisemblables qu'ils ont tôt fait d'improviser.

Très vite, vous êtes délivré du fardeau de votre identité, si gratifiant soit-il. Qui êtes-vous sinon un passant parmi tant d'autres, intéressé, curieux, attentif ? Un figurant peut-être.

Les aéroports vous assurent que le mouvement de va-et-vient entre le cœur de cette ville et le cœur du monde n'est pas près d'être interrompu. Vous avez la certitude que cette ville vit, respire. Vous pouvez être tranquille et vous engouffrer dans la première bouche de métro venue. Vous êtes alors entraîné dans la foulée anonyme des voyageurs.

Un jour pourtant, vous serez secoué par quelque écart de comportement : ce sera par exemple un cri de chat qui souffre dans un couloir du métro. Des regards cherchent la bête en difficulté, ne trouvent en réponse qu'un homme trapu qui, dans son ample manteau de fourrure, tente d'avoir l'air innocent. Vous vous dissimulez dans un angle, feignant de regarder ailleurs. Il vous dépasse et, tandis que vous le suivez pour l'épier, vous ne voulez pas croire à la conclusion qui s'impose lorsque vous le voyez aller de cuisine de restaurant en cuisine de restaurant, jusqu'à ce que le cri du chat soit réduit au silence une fois pour toutes. Qui êtes-vous à cet instant-là? À vrai dire, il n'est pas nécessaire que vous le sachiez à tout prix, puisque vous êtes porté par des événements dont vous êtes le témoin involontaire. Vous décidez de reprendre votre itinéraire à rebours. Cette fois vous rentrez chez vous. Vous prenez soin de vérifier que le wagon de tête du train du métro porte bien l'inscription *Côte Vertu,* qui à elle seule semble suffire à garantir la paix de la nuit à venir.

Pendant que vous dormez, d'autres s'étourdissent dans les bars, d'autres encore dévorent des merguez et des frites sous le toit en coupole d'un lieu étrange où on peut passer toute la nuit. Des magazines qui parlent de vélo, de vêtements, de voile, de décoration, d'architecture, d'économie, de tout et de rien, y sont accessibles en tout temps. On y trouve aussi des journaux où il est question du monde entier. Ainsi, les sirènes qui auront transpercé l'après-midi ou le petit matin, inévitables signes de risque ou de danger de mort, présentes dans toutes les grandes villes, seront atténuées par le bourdonnement, le battement robuste de la vie. Car à l'échelle de cette ville-là le tumulte et la paix sont inséparables, alors que la fatigue se confond avec l'étonnement jamais épuisé de survivre à tellement de sollicitations, tellement d'émotions, tellement de visions insolites.

Entre le meilleur et le pire, le nom des cours d'eau, des accidents géographiques, des bâtiments historiques, va jusqu'à s'effacer devant la fresque inachevée qui se construit au fur et à mesure des déplacements, des contraintes de la vie quotidienne. La vigilance essaie de s'exercer, en vain. La vérité elle-même semble finalement aléatoire. Pourriez-vous décrire fidèlement cette ville où vous vivez et qui n'a même pas encore cinq cents ans, Montréal?

SUZANNE JACOB

Un port qui ne sent jamais la mer

En voiture, la nuit, faire les ponts et les voies de ceinture. Rôder autour d'elle, la flairer, tenter de la cerner. Se faire éblouir par des phares qui collent au rétroviseur, des teignes de route. À toute vitesse. Pour finir, monter au belvédère de Summit Circle. Fermer le moteur et rester là, embarrée dans l'auto. Certaines nuits, c'était ça. D'autres nuits, c'était de descendre et de regarder ça : Montréal, la nuit. À force de regarder, soudain, je pouvais la voir tanguer. Je pensais : « Montréal est une île. » Je pensais : « Montréal est un port. » Mais ça ne sentait jamais la mer.

J'ai passé ma première nuit d'autonome anonyme fraîchement débarquée à Montréal sur la rue de la Montagne en 1964. Un homme m'a offert un passage en bateau pour le Moyen-Orient. Le billet était dans sa poche. Il voulait me conduire tout de suite au bateau dans le port. J'ai préféré réfléchir.

La deuxième nuit, c'était la nuit suivante. Je l'ai passée dans une brasserie allemande près de Bleury et Sainte-Catherine. J'étais avec Denise. On a dansé des polkas volantes, soulevées par des bras de marins allemands qui nous ont invitées à visiter leur cargo dans le port aux petites heures. On a examiné ça en marchant sur la pointe des pieds pour ne pas réveiller le capitaine. Tout à coup, Denise

---

Écrivaine, elle habite sur le Plateau Mont-Royal. *La passion selon Galatée,* roman, 1987. *Maude,* roman, 1988. *Les aventures de Pomme Douly,* nouvelles, 1988.

a eu une intuition. Je pense que c'était juste avant qu'on visite les dortoirs. On s'est poussées.

Dix mois plus tard, je quittais Montréal par le fleuve sur un cargo allemand qui avait apporté des Volks à Montréal et qui repartait pour Bremen avec des céréales.

C'est à cause de ces événements que j'ai longtemps pensé que Montréal était un port, même si Montréal ne sent pas la mer. Montréal peut sentir le pétunia, l'eau d'érable, le hot-dog *steamé*, la bière, les feuilles mortes, le relent de nettoyeur, la pizza, l'agneau au romarin, le pain Weston, mais Montréal ne sent jamais la mer.

*

Arriver d'Abitibi à sept heures du matin en autobus Voyageur, descendre par la rue Saint-Hubert. C'est vide. C'est mort. Prendre un café au terminus. Ça finit par se remplir. C'est plein, finalement. Écouter le gars qui annonce les arrivées et les départs en roulant les « r ». C'est Montréal. Il n'y a pas de murs pour indiquer où ça commence, pour dire où ça finit. Quand on n'est pas né à Montréal, on ne peut pas savoir d'avance à quoi s'attendre d'elle à chaque fois qu'on y revient, et même une fois qu'on s'y est installé. D'abord, elle a un visage à cent faces. Ensuite, c'est une cyclothymique, une sorte de caractérielle dont les humeurs allongent, étirent, aplatissent, rétrécissent, gonflent ou font gondoler les buildings et la montagne. On ne sait pas si c'est le monde qui donne ses humeurs à la ville ou le contraire, car elle peut jouer à être le nombril du monde. Il y a des foules à suivre. Celle qui s'écoule des *Terrasses* à *Eaton* à *la Baie*. Celle qui forme ses embâcles au *Forum*. Celle qui traîne ses pantoufles au Stade olympique en ressassant les coûts et en doutant du mât.

Celle qui court derrière le papamobile. Celle qui se stationne pour les feux d'artifices. Mais, passé deux heures du matin, c'est vide. Les parcs sont interdits depuis minuit. On sort acheter des cigarettes. C'est vide. Le dépanneur remplit ses frigidaires. Ça, c'est Montréal. Le lendemain matin, il y a des vieux qui s'envoient des craques en attendant que Montréal ouvre. Ils veulent lire les nouvelles du sport dans le *Journal de Montréal*. Montréal ouvre finalement et rien n'est évident : tout dépend. Ça dépend toujours de quel coin on émerge et pourquoi. Au coin de Peel et Sainte-Catherine, les aiguilles de montre tournent plus vite qu'au coin de Berri et de Marie-Anne. Le chocolat *Laura Secord* est plus frais dans l'Ouest, mais les couleurs — vert, jaune, rose —, dans l'Est, sont dures à battre. Et ça dépend encore, ça dépend du pont, ça dépend de la vitesse, ça dépend de la musique.

Supposons que tu débouches de la montagne et que tu prennes la rue Mont-Royal vers l'est au moment où un orage éclate. Bon. Supposons qu'au même moment, au FM de Radio-Canada, éclate une cantate de Bach à son paroxysme. De la buée dans le pare-brise. Tu mets ton ventilateur en route, tu baisses un peu ta vitre. La pluie rentre dans l'auto. Bon. Là, c'est Montréal. Ça va être Montréal pendant tout l'embouteillage qui va suivre, de l'avenue du Parc à la rue Rivard. C'est unique au monde. Ça devrait être classé dans le patrimoine mondial de l'Unesco, en veillant à garder tous les éléments : l'orage, la cantate, la buée, l'embouteillage et le caractère québéco-indo-rocko-vidéo-sino-western de la Mont-Royal, comment dire ? Western, je pense que ça suffit. De toute façon, Montréal peut être la ville qu'on lui demande d'être. Montréal aime se travestir, se costumer, se déguiser, donner un show. Elle fait le show qu'on attend. Les décors sont installés en permanence.

Francophone, anglophone, paroissial, américain, européen, demande, ça n'a pas l'air de lui coûter plus cher. Ne va pas rire de ses lampadaires, par exemple! On ne rit pas : la fierté a une ville. On rit : une fois la fierté passée, le monde aime le fou rire. L'autre jour, il y avait un concours sur le Plateau Mont-Royal. Le premier prix, tu ne devineras jamais, c'était une piscine creusée. Une piscine creusée! Sur le Plateau! Où ça? «Ben…, ça donne à quelqu'un l'idée d'acheter plus grand ailleurs, m'a dit ma voisine. Ça peut le motiver à se grouiller.» Et la voisine pleurait de rire sur la piscine creusée.

*

À pied maintenant. Tranquillement. Faire le tour de l'étang du parc Lafontaine. Écouter les goélands se faire appeler des mouettes. Se dire que les mouettes, c'est la mer. Écouter un enfant maigre jouer des airs westerns sur un accordéon trop grand pour lui. Croiser son regard gris. Un char de police passe pour ramasser ceux qui boiraient une bière froissée dans un sac de papier brun. Il y a une fille qui dit qu'elle ne lit plus parce que ça lui donne des dépressions. Il y a un adolescent tout en blanc qui dit : «Sacrement, je ne veux pas être dans la photo! — Envoye donc!», dit sa sœur. Un homme se fait toaster le poitrail à côté d'une dame en bigoudis qui a roulé ses bas de nylon parce qu'il fait trop chaud. Il y a un couple qui fête ses noces d'or en faisant un tour de pédalo. Continuer à pied, en prenant son temps. S'acheter un casseau de frites, en lancer la moitié aux goélands. Remonter vers la statue de Dollard. Sortir du parc après avoir salué l'arbre aux quarante écus caché entre trois érables. Là, frapper le changement. Le nouveau poste de police a mangé le ciel qui se trouvait là, juste là où il y avait l'enseigne jaune-orange des taxis La Salle. Elle tournait toute la nuit en face du *Braque*. Là, quand le soleil se couchait, c'était Montréal à son meilleur. L'enseigne a disparu, le poste de police a mangé le ciel, mais on voit encore la caserne des pompiers, on voit encore l'antenne parabolique, on voit le vent venir. Et ce vent-là ne sent jamais, jamais la mer.

Vue du centre-ville (photo de M. de Jordy).

L'édifice Trafalgar (photo de M. de Jordy).

CLAUDE JASMIN

Sept fois passera

1. J'AVAIS CINQ ANS

Les grands parlent et les enfants écoutent. Je sais donc que le lieu où je joue se nomme Montréal. Ils disent « la ville de Montréal ». Pour moi, une ville, ce n'est pas bien grand, qu'un pâté de maisons avec des cours où grouille « la satanée trâlée d'enfants », c'est le cri des vieilles mémères à notre sujet. La ruelle. Il y passe des marchands gueulards : « Guenilles à vendre ! Glace à vendre ! Charbon et bois ! » En été : « On a des choux, des radis, des carottes ! Du beau blé d'Inde. »

Je sais peu sur ma ville. Je devine. Il y a un fleuve, loin, au sud, en bas de la ville. Mon père en parle souvent. Il dit qu'on ira voir les bateaux dans le port. Un jour, promesse tenue : au bout de la rue Berri, il y a de gros cargos et aussi des pêcheurs à la ligne. C'est dimanche. C'est beau ! À l'opposé, de l'autre côté, au nord, il y a une rivière et mon père m'y mène un samedi matin d'avril, très tôt, pour y puiser son « eau de Pâques » miraculeuse. Tout à l'ouest de ma ville, il y a une basilique immense, un 19 mars, j'ai six ans et papa m'y conduit. Je vois des tas de cannes, des béquilles et un tombeau de marbre noir dédié au fameux Frère André. Il y a aussi un horizon de collines

---

Né le 10 novembre 1930. Écrivain, il habite à Outremont. *Rimbaud, mon beau salaud,* essai, 1969. *La petite patrie,* récit, 1972. *Pour tout vous dire,* journal, 1988.

bleues. « Au loin, dit papa, tu peux voir la chaîne des Laurentides. » Je commence donc à savoir mieux ma ville avec, au milieu, sa montagne, le mont Royal. Ma ville est donc une île ? À l'est, tout au bout, il y a la chapelle dite de la Réparation. La religion est partout en 1935 ? « Oui, dit mon père, Montréal est la ville aux cent clochers. » Il faut maintenant sortir de mon coin de rue, Bélanger/Jean-Talon. Aller à l'école, rue de Gaspé. Ma ville s'agrandit. Pas beaucoup encore.

2. J'AVAIS DIX ANS

Montréal m'est plus vaste enfin. Il y a le bain public, rue Saint-Hubert. Il y a un petit musée, rue Saint-Laurent, au grenier de l'Institut des sourds-muets, coin de Castelnau. Il y a les « Italiens ». La Casa. Il y a leur église, « Santa Madona della difesia ». Il y a surtout le marché Jean-Talon. Maman y va souvent, je lui tire la voiturette et elle discute les prix âprement. Il y a un orphelinat, rue Christophe-Colomb, et si je suis pas sage on me menace d'enfermement là-dedans !

Je me débrouille. Je sais aller seul chez le quincaillier Damecour, un Suisse, j'y achète du plâtre et des couleurs, en poudre, pour papa peintre-du-dimanche dans son petit caboulot du 7068 rue Saint-Denis. 1940 : on organise des descentes dans ma rue, on vient mettre dans des camps à barbelés les Italiens qu'on soupçonne de « fascisme ». La guerre ! Certains soirs, faut tout éteindre. Couvre-feu. Exercices au cas où les Nazis débarqueraient. Les vieux chuchotent : « Ils sont près de Sorel, cachés dans des sous-marins terribles, ces sales boches ! »

J'aime ma ville. J'aime marcher tout autour. On va voir

les trains qui arrivent, qui partent, gare Jean-Talon. Je sais le latin d'église et je sers la messe, tôt le matin. Des voisins ont des poules, un coq. Ça *cocorite* dans certaines cours de la rue Drolet. Nos chers Italiens ! Ils font du bon vin. Du bon tabac. Ils sont débrouillards. Au parc Jarry, papa m'amène écouter les fanfares militaristes subventionnées par la Fondation Campbell. Je m'excite aux parades religieuses, rue Dante, lors de la fête de Saint-Antoine : musique vivante et feux d'artifice. Nos Italiens sont mes couleurs, mes créateurs d'imaginaire. Je les aime. L'été, je vais écouter les sermons, en italien, à leur église. J'aime tant le style grandiose des prédicateurs, très apocalyptique. Bientôt, on va m'inscrire, loin, boulevard Crémazie, au collège Grasset. J'aurai un vélo, tout neuf, un beau CCM. Pour épargner. Les tickets des tramways coûtent si cher, 7 pour 21 cents !

3. J'AVAIS QUINZE ANS

J'étudiais le latin et le grec. Je « faisais mon frais ». Un petit imposteur ? Je tromperai mes parents : pas question que je me fasse curé. Ils ignorent mon plan : je serai avocat, grand plaideur, tribun, ou bien je serai journaliste et ferai de grands reportages de tous les coins du monde. Montréal s'énerve et jubile en 1945. La guerre est terminée ! Ça chante partout. Il y a, en plus grand nombre, des voitures toutes neuves dans ma rue Saint-Denis. Les cinémas *Rivoli* et *Château* se remplissent comme jamais. Mon coin de rue Saint-Denis/Bélanger est ultravivant. Les grands s'habillent en zazous et le *jitterbug* règne. « La religion est menacée », disent les vieux du quartier Villeray.

On bataille moins avec les gangs d'Irlandais de la rue

Faillon, de la paroisse Holy Family où on va à la messe, c'est tellement plus rapide. Maman en est scandalisée. Papa songe à agrandir son petit restaurant. Je me détache. Je m'instruis trop. Je lis trop. Les parents, les voisins, les amis abandonnés, sont du pauvre monde. Les messieurs de Saint-Sulpice du collège nous répètent : « Vous serez l'élite de la nation. » Gonflement imprudent de nos jeunes poitrines. Je sors, je prends des trams. Je vais au parc Lafontaine certains dimanches. L'hiver, on va en ski, les gars du Grasset, ou sur le mont Royal ou aux buttes *les Hirondelles,* à Montréal-Nord. Montréal est vaste ! Il y a une piscine à Cartierville. Si grande ! Je découvre les grands magasins de la rue Sainte-Catherine, c'est plus cossu que nos bric-à-brac de la rue Saint-Hubert. J'ai une « blonde », loin, à Saint-Henri. Mes espaces s'élargissent et j'aime ma ville. J'aime tout Saint-Henri, même ses ruelles, ses trains fumants, ses allures de gros village joyeux. Je vais danser à Westmount, c'est pas cher, au *Victoria Hall.* Avec mon vélo, je traverse ville modèle, « Town of Mount-Royal ». Je parcours des quartiers inconnus. À Outremont, il y a une belle patinoire, sur un étang, parc Saint-Viateur. On y fait jouer de la musique. Strauss !

Trop de filles, trop de vélo, je vais rater mes études.

4. J'AVAIS VINGT ANS

À vingt ans, Montréal n'a plus de secrets pour moi. Ce que je m'imagine. Je suis allé vers les études artistiques, adieu les belles-lettres ! L'École du Meuble m'est un abri fameux. Contre les vieux, les parents. Je quitte la succursale Shamrock, rue Saint-Dominique, pour la vraie Bibliothèque municipale. On y voit de si jolies filles, qui font les studieuses mais qui ont les yeux très doux. Je sais le monde par les livres. Les autres pays. Je connais l'art moderne. Je suis curieux de tout. J'admire Miró, Picasso, Calder. On va boire du vin rouge à *l'Échouerie*. L'adolescence s'achève enfin. De jeunes artistes s'agitent. Montréal doit devenir le Paris de l'Amérique? Ça grouille. Chez Tranquille-le-libraire, il y a des réunions de libertaires, d'anarchistes. «Du monde bien dangereux», disent les parents, les voisins. Les vieux. Place! Place!

J'ai dix-neuf ans en 1950. Je serai aussi fort que Braque. Peut-être meilleur que Matisse. On monte d'importantes séances dans des sous-sols d'églises voisines. Le professeur Lucien Boyer, généreux supporteur et rêveur, nous guide. Et nous excite en encouragements essentiels. C'est bien fini le Québec-des-curés, ce Montréal de «rongeurs de balustres»! Mauvaises lectures, n'est-ce pas, pieux papa? En vélo, je vais si loin, à l'est ou à l'ouest, que j'y perdrai souvent mon chemin. Je veux séduire des filles de partout. J'y cours, j'y vole. Baisers volés, rue Villeneuve, rue Gilford, rue… Partout! J'aime ma ville. Je fais confiance aux nouveaux révoltés. Montréal sera le grand port américain de l'art moderne. Débats. Critiques. On ose s'encanailler. Je vais dans les cabarets. J'ai jasé, de nuit, avec le jeune Charles Aznavour, rue Saint-Laurent, au *Faisan doré*. Jacques Normand est un fameux bretteur, un effronté merveilleux. Je bois de la bière surtout, c'est moins cher. Tavernes des alentours. Je suis perdu, en fait, sans avenir solide. Mes parents sont navrés. Un artiste dans la famille. Malheur! Je crache un roman raté et je perds ce manuscrit. Je fais des poèmes. On imite Éluard, Aragon, Desnos et autres résistants. 1951. Bientôt, un diplôme bidon. Bientôt, la misère?

C'est long vieillir, s'installer un peu. J'ai fait d'abord cent métiers, cent misères. J'ai rangé des caisses de Seven-Up, rue Rockland, et les garçons gâtés du chic collège Stanislas me moquent. J'ai réparé des parapluies chez *Broofey,* rue Clark, j'ai sué chez *Lowney's,* rue Lajeunesse, dans les vitrines à décorer, du *window display* un peu partout. Étalages vains. Néant existentiel ! J'ai enfin joué pour vrai, avec Tit-Paul, sur sa *Roulotte* toute neuve. J'ai connu plus à fond ma ville comme employé municipal. Hivers : aller enseigner la peinture libre dans les six centres récréatifs de la cité. Les samedis au chalet du parc Laurier. Étés : aller faire « gribouiller » les petits enfants dans les cent trente terrains de jeux de la ville. En vélo, ce sera alors la découverte complète de Montréal, connaissance totale. Vraiment à fond. Montréal est grand et c'est dur pour les mollets, mais les enfants-peintres sont tous des génies. Je collectionne leur art naïf, je redécouvre le primitivisme.

À trente ans, enfin un *job steady* et un *bon boss* à la télé publique qui s'installe sérieusement. Je m'y incruste donc et je sais tout des rues Mackay, Bishop, Saint-Mathieu ou Saint-Marc. Me voilà proprio d'une coccinelle-Volkswagen beige. Bon moyen de voir loin. Je sais où aller me baigner, l'anse à l'Orme, ou bien à Rivière-des-Prairies. Pollution bientôt. Je sais où vagabonder pour voir plus loin, le port de Montréal n'en finit plus. Tiens, les rapides de Lachine, je le découvre, sont à Ville Lasalle ! Montréal est une intime. La familiarité engendrerait le mépris ? Faux dans mon cas, je l'aime encore, mieux, je suis fou d'elle, c'est « ma » ville avec ses grosses verrues. C'est mon lieu des bonnes et des mauvaises habitudes. C'est ma géographie. Même dans une rue lointaine, j'en ai toujours un souvenir précis. Non, Montréal n'a plus de secrets pour moi, pourtant je voudrais trouver le temps d'explorer certains quartiers nouveaux.

J'ai deux plumes désormais. Avec l'une, je dessine, avec l'autre, j'écris. De la prose. J'ai gagné des prix. On m'a salué. Je suis respecté et on a compté sur moi dans Villeray. J'ai des camarades en écriture et je veux qu'on les invite partout. Débats et engueulades. 1965. Vive le Québec libre! Les vieux s'inquiètent. Les parents, les voisins sont divisés. Montréal évolue et change. En 1960, j'avais vingt-neuf ans. En 1965, j'ai une petite réputation. S'agit de rester le modeste secrétaire des Montréalistes.

6. J'AVAIS QUARANTE ANS

En 1970, j'habite le Vieux-Bordeaux et je me présente comme candidat échevin dans Ahuntsic. Pour le parti FRAP, naissant. La Crise d'octobre démolit nos espoirs. J'ai des amis qui sont en prison! Parthenais les a enchaînés dans l'est. Montréal se transforme beaucoup. Depuis métro et Expo. Rue Fullum, il y a le vieux couvent des Dames. Ma Germaine de mère y allait en 1920. Il y a la vieille prison-des-femmes-d'avant-la-rue-Tolhurst. Il y aura Radio-Québec bientôt. Montréal, vraiment, change beaucoup. Je fabrique des entrevues et je collabore à des magazines, à divers journaux, souvent éphémères. Je sais de nouvelles choses d'*elle*. L'actrice Geneviève Bujold m'a raconté son Hochelaga. Jean Hamelin aussi. Monique Miller son Ahuntsic. Je finis par rêver d'un gros album, avec des témoignages écrits sur tous les quartiers de ma chère ville. Avec Stanké on fera des rêves. Qui tournent court hélas! Montréal aussi reste mystère? Impossible de la décrire complètement, solidement ? Paris a eu ses poètes, ses chanteurs, ses guides chauds et ses illustrateurs. Je rêve aussi d'une « carte du tendre » : mes amours aux quatre coins de ma jeunesse montréalaise. Hélas, pas le temps ! Je rêve encore : cent « petites patries » imprimées. Un dénommé Tremblay déclare avec talent « quartier réservé » son cher Plateau Mont-Royal. Bien fait. J'ai fait Villeray. Qui va chanter Côte-Saint-Paul et sa jeunesse ? Gilles Archambault ? Et qui, pour Ville Émard ? Avez-vous lu sur Maisonneuve ? Par Pierre Pétel ?

Montréal a besoin de ses chansons. Il y en a trop peu encore. Poésie des rues. J'aime sa folie, même ses défigurations, ses laideurs, ses cicatrices. Je l'aime assez pour tolérer ses transformations. Pas toutes, mais je ne suis pas nostalgique. Une ville est aussi un voyou qui casse ses murs sans cesse. À quarante ans, je piaffe encore. Je mène ma fougue d'écrire par le bout du nez, consacrant des lieux de folies, la *Royal Tavern,* rue Guy, ou le *Café des artistes,* rue Dorchester ouest. Tout s'élargit. Nos tramways vont au musée du Maine. Tant pis, tant mieux.

Les démolisseurs sont des rats survoltés. Il le faut ? La vie vive est toujours cruelle. Les protecteurs passéistes nous sont précieux. Que la lutte s'engage ! 1970, j'ai deux enfants maintenant. Alors les balades se multiplient et je roule partout !

7. J'AI CINQUANTE ANS

J'ai connu Ahuntsic, l'Est, rue Sacré-Cœur. J'ai connu le parc Viel et le Bordeaux de la rue Bois-de-Boulogne. Un logis le long des murs de la Prison municipale (c'est pas trop gai !). J'ai connu, plus tard, la rue Cherrier. Intimement. Je sais mieux, rue Saint-Viateur, Outremont. Un village dans la ville ! Je redécouvre la folle et laideronne avenue du Parc. Il y a des Juifs tout autour ! Des Grecs, des Vietnamiens, des Libanais. Multiculturalisme ? Résistance ? À Rome, fais donc comme les Romains ! Impossible règle pour tous ces tiraillés d'ici ? Devenir des Montréalais ? Comment ? Ils parlent anglais trop souvent mais ils cherchent, ils quêtent. Comment rester vifs et dynamiques ? Nous devrons devenir attrayants. Pas facile d'être séduisants, anciens xénophobes ! Écrire partout, sur les murs, l'histoire des *petites histoires* de la ville ? Faudrait. Rester très ouverts, n'est-ce pas ? Sans perdre nos souvenirs et nos racines ? Séduire les immigrants ? Devenir absolument des « Français d'Amérique ». Être uniques et exemplaires, un long débat. Montréal se fait brasser, se fait tripoter. Rien à faire : la réalité de vivre est cruelle. L'argent gagne l'argent. Ne pas trop s'en faire. Le rêveur gagne toujours quand les chantiers finissent par se taire. Vous verrez !

Il y a des films, des livres, du théâtre, des tableaux. Trop peu de sculpture dans nos parcs. Ça vient ? Ça se fait ? Rester optimiste. C'est si facile, puisque Montréal est folle à lier et en est émouvante. Ses soirs sont tristes désormais, la télé-prison, petites lucarnes partout, veilleuses dans toutes les maisons avec les artifices de la vie. Mais, de jour, c'est encore le sang le plus turbulent qui monte à la tête. C'est l'époustouflant bourdonnement. On mange bien à Montréal. On a des terrasses pour la trop courte et si belle saison. On a des couloirs à boutiques sous nos neiges. Montréal se défend et elle est bien brave. Je l'aime, alors je lui pardonne tout. C'est ma passion. C'est quoi, une ville aimée ? Toujours, « c'est, avant tout, celle où on a été enfant ». C'est bien dit, je ne sais plus par qui. C'est la vérité. Autour, c'est pourtant rempli de vieux enfants qui ont grandi ailleurs. Il faut parler à ces arrivants de tous les horizons de nos jeunesses. Alors ils aimeront nos contes, nos récits et ils aimeront mieux Montréal. À nos écritoires, vite !

Le port (photo de J. Lambert).

Fête portugaise sur la rue Saint-Urbain (photo de J. Lambert).

D. KIMM

Pousser en ville

Cette ville, il faut la quitter pour l'aimer, pour la voir. Au cours de mes voyages, je n'ai jamais trouvé les mots pour parler de Montréal à ceux qui ne la connaissaient pas. Avec toi non plus je n'ai pas les mots. Je me contente de te montrer ce qu'il y a à voir... sans dire un mot.

*

Depuis quelques mois, je ne marche jamais seule. Je dois constamment tout surveiller, alerte, attentive, regarder partout et souvent vers le bas. Car une fille doit faire attention quand elle se promène avec son enfant, savoir où elle va.

J'ai parfois l'impression d'être une étrangère ici. Je ne vis plus au même rythme que la ville. Comme si la ville ne pouvait être que bars, folie, violence, perte, nuit. Je ne suis pas habituée à cette autre ville qui appartient aux enfants, aux après-midi ensoleillés, aux carrés de sable et aux poussettes.

Peut-être est-ce le fait d'avoir vécu mon enfance hors de Montréal qui me rend si pensive, si émerveillée devant les enfants de la ville. Je me souviens quand j'étais petite, je croyais que vivre à Montréal c'était l'horreur ! Pas de place pour se cacher, obligation de jouer sur le trottoir dans

Née le 10 octobre 1959. Écrivaine, elle habite sur le Plateau Mont-Royal. *Ô Solitude,* récit, 1987.

la poussière et la pollution, interdiction de traverser la rue à cause de la circulation. Je ne savais pas qu'il y avait des parcs et des ruelles, des coins secrets, des piscines et des balançoires. Je ne savais pas qu'on pouvait être un enfant de la ville sans fumer à six ans, sans apprendre à parler en sacrant.

Mais la ville n'est pas la campagne. Ma fille connaîtra-t-elle les sauterelles qui collent aux jambes, les petites fraises laborieusement ramassées, les cerises qui laissent la bouche pâteuse? Connaîtra-t-elle la peur des serpents et du géant du champ d'en haut ou celle du fermier du champ d'en bas dont on disait qu'il couraillait les petits enfants avec une hache?

*

Un jour, je raconterai à mon enfant comment je suis arrivée en ville, à dix-huit ans. J'habitais alors à l'intersection de Saint-Urbain et de Duluth. Et je n'en revenais pas. J'étais émerveillée. Sortir de chez moi c'était toujours une aventure extraordinaire. Aller faire mes courses sur la rue Saint-Laurent, une expédition.

Je suis restée là cinq ans. Que de fois j'ai rêvé devant ces somptueuses maisons aux façades néogothiques qui longent le parc Jeanne-Mance et font face à la montagne! J'en avais choisi une en particulier, de pierres rouges, avec loggias, niches, créneaux et tourelles que j'achèterais éventuellement… si je devenais riche héritière. Et j'ai souvent eu envie d'escalader le mur de pierre de la rue Duluth pour aller visiter le jardin des sœurs hospitalières de Saint-Joseph, derrière l'Hôtel-Dieu, et dont certains disent qu'il abriterait même… un verger?

Puis, j'ai quitté les Portugais pour les Grecs et les Juifs

orthodoxes. J'ai vécu deux ans sur la rue Esplanade, entre Bernard et Saint-Viateur.

Au début, je trouvais tellement étrange de croiser ces hommes vêtus de longs manteaux noirs chaque fois que j'allais acheter du lait ou un journal. Leurs chapeaux surtout m'intriguaient : en forme d'abat-jour et recouverts de fourrure, ils les portent même en été ! Je me questionnais souvent sur la vie quotidienne de ces petits garçons aux curieuses boucles sous leurs calottes. Je me demandais : rêvent-ils à ce dont rêvent tous les petits garçons ?

Un jour, je te raconterai ces curieux logements que j'ai habités : immenses et sombres, avec des tas de moulures et de fioritures et des plafonds incroyablement hauts ; charmants et ensoleillés avec des petits anges sculptés dans les angles ; exigus et inconfortables, où l'on se cogne constamment les genoux sur les meubles, où l'on s'assomme sans arrêt sur les portes d'armoires qui ferment mal.

Maintenant nous habitons rue Cartier. C'est là que tu es née. J'aime bien notre rue parce qu'il y a beaucoup d'enfants. Souvent nous les regardons partir pour l'école ou en revenir. Il y en a de tous les âges, des timides, des charmants, des effrontés, certains qui ont la voix haut perchée et les pleurs faciles.

*

Tu n'avais que quelques semaines que déjà je t'emmenais avec moi rôder dans les terrains vagues tout près de la *track*. Maintenant je n'ose plus. J'ai peur que tu y prennes goût et que tu ailles là-bas faire des fugues quand tu seras plus grande. Une mère a toujours peur que son enfant se fasse écraser par un train ou attaquer par un malade. Mais une mère peut-elle empêcher sa fille d'aller explorer les terrains vagues et les fonds de cour quand elle-même le faisait autrefois?

*

Nous marchons souvent dans les ruelles. C'est un endroit où je me sens à l'aise, bien que je trouve parfois indécent et voyeur d'explorer ainsi l'intimité des gens. Tout ce bric-à-brac qu'on entasse sur la galerie parce qu'il n'y a plus de place à l'intérieur, les jouets des enfants dans la cour, les voitures qu'on répare soi-même.

J'aime le côté dépareillé de cet alignement de clôtures de toutes sortes, murs de pierre et hangars. J'aime voir ces jardins que les gens font avec de minuscules bouts de terrain ou alors ces cours envahies d'arbres et de végétation, véritables jungles où il doit faire bon se réfugier... C'est prodigieux toute cette mauvaise herbe, tous ces arbustes qui trouvent le moyen de pousser dans la moindre craque, la moindre faille.

La plupart du temps, à part nous, il n'y a que des enfants, des chats, des chiens. Il doit bien y avoir aussi quelques voleurs, quelques amants, le soir. Nous, on est de jour.

*

Nous avons certains trajets obligatoires. Rue Papineau pour le bureau de poste, les photocopies et le CLSC; rue Mont-Royal pour la pharmacie Jean-Coutu, le pain et les camisoles; rue Laurier pour la librairie et les épiceries. Nous en voyons des choses! Des cinémas pornos, des garages, des maisons flambées, des buanderies sordides, des salons de coiffure minables. Une ville tellement hétéroclite

139

et laide parfois. Mais ça ne se dit pas, ces choses-là. Allez donc dire : ma ville est affreuse et les couchers de soleil en sont d'autant plus somptueux ! Et pourtant, quoi de plus banal qu'un coucher de soleil dans la mer et quoi de plus sublime qu'un ciel rouge, mauve et noir au bout de la rue Saint-Laurent bruyante et poussiéreuse ?

Mais ça ne se dit pas. Non plus qu'il y a du grotesque dans cette ville, des spectacles felliniens. Rue Mont-Royal, on voit parfois de ces êtres étranges, incompréhensibles, paumés, tordus, des générations de femmes obèses qui se tiennent par le bras et le gros Antonio sur son banc au coin de Papineau à vendre des photos. On fait comme si de rien n'était et on ne parle pas de ces choses-là. D'ailleurs, existent-elles vraiment ?

*

J'ai congé de ma fille aujourd'hui. Elle est chez sa grand-mère et ça me fait tout drôle de me promener ainsi, les mains dans les poches et la tête haute. Comme avant. Quand je vois mon reflet dans les vitres du métro, je ne me reconnais pas. Sans ma fille, je n'ai plus l'air d'une maman. Trop dégingandée. Et des petits jeunes me font de l'œil.

C'est fatal. Chaque fois que je me retrouve dans un lieu public, la tête me va à cent milles à l'heure. Et le métro c'est l'endroit rêvé pour réfléchir sur les gens. Pourquoi une telle qui a une jolie tête et les pieds fins est-elle devenue si grosse ? Comment font les filles pour marcher avec des souliers à talons hauts ? Tous ces gens, où vont-ils en cette fin de matinée ? Chez le médecin ? Au bureau d'assurance-chômage ? À quoi pensent-ils ? Sont-ils heureux ? Je ne me souvenais plus de ce que c'était… que de penser à autre chose qu'à mon enfant.

140

Je reviens à pied par le boulevard Saint-Joseph, une rue que j'emprunte rarement quand je promène ma fille. Elle est pourtant fort belle, avec son charme des années trente, ses maisons aux monumentales portes de bois, vitraux, corniches de pierres sculptées et lions gardiens d'entrées. Mais les trottoirs sont incroyablement raboteux et notre vieille poussette y fait un bruit infernal.

Aujourd'hui je peux m'attarder. Faire le décompte des médecins de toutes sortes qui ont pignon sur rue : obstétriciens, chiropraticiens, opticiens, dentistes, denturologistes, orthodontistes, prosthodondistes, radiologistes, orthopédistes, ophtalmologistes, otorhinolaryngologistes, sans oublier les psychologues, gynécologues et dermatologues. Et les acupuncteurs et les urologues. Une rue médicalisée.

Et puis, tiens, ici aussi une maison flambée. *L'incendie a une ville.*

*

Les lilas sont en fleurs. Si tu es comme moi, du lilas, tu te saouleras à en respirer, tu en mangeras, tu en offriras, on t'en offrira, tu en voleras.

Nous nous émancipons. J'ai acheté un porte-bébé et te traîne sur mon dos comme autrefois mon sac à dos. Bientôt notre liberté sera plus grande encore. Je poserai un petit siège pour toi sur ma bicyclette. J'achèterai un casque pour ta tête. Et j'irai te montrer la seule statue digne de ce nom à Montréal : l'Ange du mont Royal. Tu verras comme elle est noble et belle et pathétique. De son bras droit levé, elle semble dire à la fois : « Voici, j'arrive ! » et « Halte là ! N'approchez pas ».

Ah, fillette ! J'ai la nostalgie des villes européennes parfois. Nous avons si peu sur quoi nous attendrir ici. Peu de vieilles pierres, pas de statues, presque pas d'histoire semble-t-il. Revendiquons ! Monsieur le Maire, le peuple veut des statues, des fontaines et des jets d'eau, des jardins et des allées ombragées, des roses et... du lilas !

*

Il y a de l'été dans l'air ce vendredi soir. Ma fenêtre est ouverte et j'entends les enfants jouer dehors. Il y a de l'été dans l'air et j'ai respiré cette étrange odeur sur ma fille. L'odeur des enfants qui ont eu chaud, l'été. Une odeur douce et sucrée. Délicieuse.

Je me demande comment sera notre été... L'été à Montréal.

Bien sûr, il y a la beauté des soirs d'été, l'air si doux sur les jambes nues, les robes légères, les cornets de crème glacée qu'on mange en marchant rue Saint-Denis, les bicyclettes, les soupers avec les amis, le vin frais, les fruits. Mais avec un enfant ? Non, décidément. Quand ce sera possible, nous irons au lac, chez ta grand-mère.

Ah, fillette ! Si j'avais de l'argent, c'est à la mer que je t'emmènerais ! Mais à Montréal il n'y a pas la mer. Parfois même on se demande s'il y a un fleuve et si Montréal est bien une île.

MICHELINE LA FRANCE

Ruelle Saint-Christophe

Samedi, le 4 juin. Six heures vingt-sept.

Non, Julie ne s'attend pas, en sortant sur sa terrasse qui surplombe la ruelle Saint-Christophe, de trouver, venu depuis Rachel, le nez sous le soleil de l'aube, les Adidas flambant neufs flottant presque sur la chaussée crasseuse, mains dans les poches, cœur aux talons, l'ami Nicolas, le cher, le beau, le vieux, le grand, le fou, l'acteur de sa vie, l'homme de sa peau, celui-là même qu'elle n'a pas eu, qu'elle n'aura peut-être jamais le temps de voir. Nicot! Non, pas maintenant, surtout pas en ce moment. Que faire? Rentrer? Rester? Mais d'abord : Nicolas l'a-t-il vue? Quelle question! Ils sont trois dans la ruelle qui dormait, qui s'éveille : le soleil en oblique derrière parc Lafontaine, Nicot embouché depuis Rachel et elle-même, Julie, dans l'axe entre les deux, sortie en douce sur sa terrasse saluer le mont Royal devant elle.

«Sainte Bénite!», lâcherait sa grand-mère en pareille circonstance.

Car, six heures vingt-sept, non, Julie n'a pas le temps.

Sa valise est bouclée. Elle n'a pas fermé l'œil de la nuit mais elle a l'habitude, couche-tard ou lève-tôt, c'est selon :

Née le 18 décembre 1944. Écrivaine, elle habite sur le Plateau Mont-Royal. *Le soleil des hommes*, poésie, 1980. *Bleue*, roman, 1985. *Le fils d'Ariane*, nouvelles, 1986.

théâtre oblige! À vingt-cinq ans, son premier vrai contrat de cinéma en poche, elle s'offre le grand air, dix jours aux Îles-de-la-Madeleine chez grand-maman Painchaud. Après sept ans d'études et de bamboche, de métros, de coulisses, et de bars, d'auditions, de répettes, de baises à la sauvette, de rires, de pleurs, de fureurs et de joies, aller à Cap-aux-Meules voir si grand-mère y est, pas volé, sainte toupie! Dans moins de quatre heures, elle sera dans l'avion qui décolle de Dorval vers les Îles, ou alors, il n'y a pas une seule petite once de justice, jamais, sur cette planète dégénérée!

Or, six heures vingt-sept, Nicot ne passe pas dans la ruelle par hasard.

Il la croit endormie sinon il s'abstiendrait, discret, gentil, poli, de risquer l'inélégante relance par derrière, en pleine ruelle, comme le matou arthritique de la voisine d'en face. Mais voilà, Nicot passe, Nicot promène son insomnie dans la ruelle Saint-Christophe, croyant qu'à six heures du matin Julie dort, sachant que la fenêtre de sa chambre bâille précisément du côté de la ruelle.

Ils ont débattu ce propos une longue nuit déjà. Nicot avait conclu: «À ton âge, l'insomnie, c'est un luxe. Au mien, c'est une plaie.» Nicolas abordait la cinquantaine. Triste virage. C'était en août dernier, sur son balcon à lui, rue Garnier.

Elle avait essayé l'ironie:

— Tu as une vie d'avance sur moi, ça m'impressionne, tu sais...

— Ouais... Une vie de trop, faut croire, puisque tu n'en veux pas.

— Écoute, Nicot, je ne dis pas ça, je ne dis rien, moi... On vit des moments de tendresse exceptionnels, on se touche bien, nos corps font la paix… Mais toi, tu veux aller trop vite, tu me presses, tu m'énerves… Laisse-moi du temps, Nicot, quelques mois, un peu plus, un an ou deux peut-être, je ne sais pas…

— Tu as tout le temps devant toi, Julie. Le mien, mon temps, je l'ai derrière.

Justement, le temps.

Julie était sortie humer les dernières senteurs du lilas plus que mûr des Leroux-Guillaume avant de se faire un café. La main sur la bouilloire, elle s'était arrêtée; l'odeur l'avait rejointe. Le lilas, la montagne dans le soleil levé, trois minutes, pas plus, doucement, oui…

Le lilas, de la galerie, c'est elle, Julie, qui en profite le mieux. Eux, dans la cour, ils doivent se casser le cou pour regarder les fleurs, savoir quelles branches cueillir chaque année pour la repousse, surveiller les enfants… Julie a tout gratis : éclosion des bourgeons, parfum, bouquet géant, sans une miette de saloperie à ramasser après le plaisir.

Trois minutes, seulement trois… Après, elle aurait avalé ses céréales en vitesse, appelé le taxi, quitté Montréal. Dix jours de paix loin et proche à la fois, ailleurs et là, en soi, dans les bras de grand-mère.

Pourquoi Nicolas choisit-il ce moment pour lui faire voir les plaies de sa mélancolie?

Une histoire simple, Nicolas et Julie, une histoire qu'elle aimerait tant goûter en douce.

À huit ans, au petit écran, il était son acteur préféré. Quand elle serait grande, elle jouerait avec lui, à la scène, en studio, n'importe où; elle deviendrait sa fille, sa nièce, sa sœur cadette ou sa cousine, sa voisine, sa chatte ou sa jument, n'importe quoi, avec lui. Là, elle pourrait le voir de proche, étudier ce regard chaud qu'il a, cette passion exacerbée qui bouge en ondes de choc sur ses pupilles bleues. Dans la cuisine de ses parents, Julie se plaisait à rêver Nicolas avec l'écran entre eux. Quand elle avait songé à faire carrière, elle avait tout naturellement demandé à sa vedette de lui donner la réplique à l'audition d'entrée à l'École nationale de théâtre. Il paraît qu'il faut du culot dans ce métier ; Julie avait eu celui-là. Nicolas, grand seigneur, avait souscrit à son caprice. Le rêve de Julie était accompli.

Ils ne s'étaient revus qu'à la sortie de Julie, trois ans plus tard, quand Nicot croisé par hasard lui avait proposé de l'aider à préparer ses auditions dans les grandes maisons : *Théâtre du Nouveau-Monde, Rideau vert, Théâtre Denise-Pelletier, Quat'Sous, Théâtre d'aujourd'hui.* Nicolas serait son ange gardien, rien de moins !

Ils avaient travaillé tantôt chez elle, tantôt chez lui. Julie usait déjà de subterfuges pour éviter les ardeurs de Nicot. Malentendu : Julie ne se méfiait pas de lui mais d'elle-même. Plongée dans le travail, le stress, la peur et la griserie de jouer bientôt, peut-être, elle ne pouvait pas voir où Nicot trouverait à se loger sous sa peau. Oui, elle le désirait depuis l'enfance, mais Nicot confondait tout : la chair, le cœur, les neurones et le théâtre. Nicot parlait d'amour : lui parlait-il à elle ? Julie savait que l'amour depuis-toujours-et-pour-toujours, c'est à huit ans que ça marche, après, faut manœuvrer. Là, elle n'avait sur le sujet qu'un principe : réserver ses élans pour le jour où elle aurait du temps. Quand ? Elle n'en savait rien. Après cette saison d'auditions, ils s'étaient sportivement serré la main, « à un de ces jours peut-être… »

En août dernier, Nicolas emménageait rue Garnier, à dix minutes de marche de chez elle. Ils se croisent à la pharmacie *Jean-Coutu*, rue Mont-Royal. Ils soupent ensemble. Ils nuitent. Julie aime de toute sa peau l'homme qui n'est plus ni son père, ni son oncle, ni son cousin, ni son frère aîné, ni son voisin, ni la vedette de son *fan club*. Toute une nuit, ils sont amants fous, passionnés, satisfaits. Dans la maison de Nicolas, entre les caisses et les cartons, dans le fourbi de l'emménagement, ils ont pris soin de se trouver un lit. Julie n'en demandait pas plus. Au matin, elle avait dit simplement : « Au revoir, Nicot. »

Ils ne sont pas brouillés, mais le malentendu lancine. Julie n'a pas encore eu le temps de savoir, de prendre Nicolas sous sa peau, de marcher avec lui dans le trafic dément de ses préoccupations. Depuis août, Nicolas est partout, sur des petites cartes dans sa boîte aux lettres, sur le ruban de son répondeur, au cinéma, au théâtre, à la banque, à la librairie, à la *Maison de la presse internationale*, à la tabagie, au dépanneur, l'ange gardien s'est fait chair et habite à côté.

Ruelle Saint-Christophe. Six heures vingt-huit.

Nicolas avance les bras ballants depuis qu'il a aperçu Julie à sa terrasse. Sa vie en trop le suit dans son ombre, en oblique, sur la brique du Jardin d'enfance des Sœurs de Sainte-Anne. Nicot s'approche. Que faire ?

Julie voudrait encore suivre le parcours des merles nichés sous le toit des Leroux-Guillaume. Elle voudrait s'attarder à la course funambulesque des écureuils sur le fil téléphonique. Julie désirerait plus que tout laisser sa tête à hauteur du regard, voir devant elle, oui, c'est si beau, le mont Royal dans le soleil de l'aube.

Nicolas garde son pas, il ne lève pas la tête vers elle. C'est Julie qui fera l'effort de parler :

— Si grand-mère Painchaud te voyait, elle répéterait à

tout Cap-aux-Meules que Saint-Christophe existe ; la preuve, c'est qu'il visite sa ruelle avant le camion des vidanges.

— Salut, ma belle ! J'ai su que tu partais, j'aurais aimé te voir avant...

— Dix jours, Nicot. Écris-moi, si tu veux. Ou plutôt, non, tiens : sur la galerie de grand-mère, je t'écris, c'est promis.

— Bon... bien... Au revoir, Juliette du balcon, merci pour l'image ! Tu es très...

— Belle, oui, oui, ça va, Nicot. Excuse-moi, faut que je rentre.

Elle ferme la porte. Elle ne regarde pas Nicolas s'éloigner, tourner rue Duluth vers le parc Lafontaine. Elle a dit une sottise, une de plus. Sur la galerie, à Cap-aux-Meules, Julie n'écrira pas. Elle se bercera tranquillement aux côtés de grand-mère. Doucement. Terriblement.

RENÉE LEGRIS

Cité-Jardin

Dans Montréal aux cent clochers
Aux mille clochards
Se perdre rêver
Fuir l'agression
Sainte-Catherine   Viau   des Sorbiers
Rosemont   Mont-Royal   Ontario
Saint-Denis   Masson   Papineau
Obsession froide
Obsession
Au coin de chaque rue
Au long des grands boulevards
À droite et à gauche de la nuit
Une angoisse de femme
Le viol
Une peur fiévreuse   lancinante
Parc Lafontaine
Plateau Mont-Royal
Rues parallèles et transversales
Interchangeables   anonymes
Inassouvies de victimes
L'agonie de chaque pas solitaire

Née le 9 janvier 1936. Professeure et critique, elle habite à Outremont. *Robert Choquette, romancier et dramaturge,* essai, 1977. *Le comique et l'humour à la radio québécoise, 1930-1970,* essai, 1979. *Dictionnaire des auteurs du radio-feuilleton québécois,* 1981.

De chaque correspondance
Entre les terrasses   les maisons
Peur des terrains vagues
Les vagues de la transe me broient le cœur

Au jardin des souvenirs
Un souffle de printemps
Parfum de marronniers en fleurs
Chants du merle dans la brise crépusculaire
Cité-Jardin émerge des boues
De la guerre   des rêves
Un mandala boisé dessine rues et culs-de-sac
Avenue des Sorbiers   des Mélèzes   des
     Marronniers
Des Plaines   des Cèdres   des Peupliers
Boulevard Rosemont   rue Viau
Avenue des Épinettes   des Hêtres
Des Saules   des Bouleaux
Boulevard l'Assomption
Ne pas s'égarer
Trouver son Orient
Aux jours humides et chauds
Je cherche une foule absente
Je ne retrouve que la brise caressante !
La fraîcheur du fleuve monte
S'accroche à la verdure chatoyante
Comme une algue
Solitude

Tout au fond de la mémoire
Fatalité sous les pluies d'octobre
La guerre perpétue la résistance
Cité-Jardin au bout du monde

Loin   trop loin du centre
Îlot dans la noire vacuité culturelle
Horizons dénudés
La fin de la civilisation à la 24e Avenue
Trottoirs de bois
Ni trams ni métro
Dans le vent d'est
Des raffineries
Odeurs sulfureuses
Sur le silence transi des longues marches apeurées
Au long des terrains opaques de la nuit
Espaces en friche
Sous la bruine
La flore et le boisement s'estompent
Le mur des tempêtes se dresse gris

La ville autour du jardin se greffe
Écoles   motels   hôpitaux   arénas
Fascination sportive des foules
Depuis la fête des Jeux
À l'Est les signes de la modernité
Montréal vibre de son architecture
Futuriste
Parc Viau   un golf disparu
Et Pierre-de-Coubertin
Présence olympique
Autour des Pyramides et du Stade
Le mât se dresse
Vue imprenable de l'Est sur notre fleuve
La Métropole s'affiche internationale

De New York au Caire
De São Paolo à Singapour

Les images du monde forcent notre conscience solitaire
À nos écrans électroniques
De Douala à Sydney   Reykjavik   Tokyo
Se tendent des arcs souverains et magiques
Cité-Jardin liée à la conquête des foules
Avenue des Plaines
Salue son universel maire Drapeau

De l'Europe à l'Asie
De Beyrouth à Katmandou   Bagdad   Saigon
      Kaboul
Comme un feu court
La guerre
L'angoisse des éboulements   des déchirements
Des écrasements
La terre tremble
Rompt les arcs les ponts
Désarticule les poids
Les synapses
Les colonnes des temples et des stades s'ébranlent
Menacent cerveaux et toits du monde
Péril autour de nous
Mirage des forces herculéennes
Illusion du pouvoir
Fantasmes et délires

Entre les rives du Saint-Laurent
Nos ponts   nos îles   nos floralies
Montréal
Immuable dans sa dérive fluviale

ANDRÉ MAJOR

Une île grande comme le monde

Tout d'abord, il n'y avait rien — ni fleuve ni pays. Rien que ce pont squelettique qui vomissait un flot ininterrompu d'autos quand les Royaux jouaient au stade à l'ombre duquel je mourais d'une balle en plein cœur, d'une flèche ou d'un imparable coup de sabre. On m'aurait dit alors — et on a dû le faire — que Montréal était une île, je l'aurais cru, comme je croyais à l'Immaculée Conception et aux péchés mortels ; je l'aurais cru, mais sans pouvoir le vérifier, l'insularité de Montréal étant sa caractéristique la plus secrète. Car, bien que né et élevé à proximité du fleuve, je ne le voyais pas plus que je n'en respirais les effluves. C'était un fleuve repérable dans les manuels de géographie et visible du haut d'un de ces buildings où se trouve aujourd'hui mon bureau. Mes parents, qui arrivaient de leur terroir, limitaient mes déplacements à une aire bien précise, pas plus étendue que les modestes villages où ils avaient grandi : la rue Papineau, où notre école flambant neuve faisait face à une boulangerie qui exhalait tous les midis une chaleureuse odeur de pain sortant du four, la rue Sherbrooke, qui constituait une frontière aussi infranchissable que le fleuve, et les rues de Lorimier et Ontario à l'angle desquelles se dressait ce fameux stade dont les

---

Né le 22 avril 1942. Réalisateur à la radio, il habite dans le quartier Ahuntsic. *Histoire de déserteurs,* roman (trilogie), 1980-1981-1982. *La folle d'Elvis,* nouvelles, 1981. *L'hiver au cœur,* nouvelles, 1987.

palissades grises retentissaient de la clameur d'une foule majoritairement américaine, à en juger par le nombre de voitures immatriculées dans les États voisins et sur lesquelles les plus entreprenants d'entre nous se chargeaient de veiller dans l'espoir d'un pourboire. Dans notre rue, d'ailleurs, il n'y avait qu'un automobiliste ou deux.

La fièvre du baseball, je n'en ai jamais été atteint, sans doute parce que nous quittions la ville dès la fin des classes pour n'y revenir qu'à la rentrée. Ces départs et ces retours, parlons-en : il me semblait que les voisins, perchés sur leurs balcons, nous regardaient avec une jalousie féroce, eux qui étaient condamnés à mariner dans l'ennui et la chaleur humide de l'été montréalais ; il m'a fallu deux ou trois décennies pour me défaire d'une accablante culpabilité qui renforçait mon sentiment de ne pas appartenir vraiment à ce quartier. Sitôt revenu en ville, oubliant les ivresses champêtres provoquées par les odeurs de serpolet, de foin coupé et de résine, je reprenais contact avec l'ordinaire de l'existence : la pénombre fraîche de notre appartement tout en longueur, l'école et les larcins perpétrés dans les magasins de la rue Ontario pour le bénéfice exclusif d'une famille de brigands qui, en revanche, nous assurait une protection relativement efficace contre les bandes rivales des rues Dorion et Cartier, qu'on ne pouvait traverser sans encombre pour se rendre à l'école et en revenir. Des rixes éclataient assez régulièrement dans la ruelle où, armés de bâtons et protégés par des couvercles de poubelle servant de boucliers, nous réglions d'incertains litiges. Mais ce qui nous mobilisait à peu près unanimement, c'était le hockey, que nous pratiquions dans la ruelle avant de pouvoir le faire sur la patinoire du parc désertique, avec l'ambition secrète de faire carrière dans la glorieuse Ligue nationale où brillaient les idoles du cru, vouées — par nécessité historique — à conserver au Forum une coupe Stanley qui sauvait la face d'un peuple dont le nom rappelait tout à la fois ses origines et sa dépendance.

Un ami corse, souffre-douleur de l'école simplement parce qu'il avait le tort d'être gros et de s'exprimer mieux que nous, m'avait entraîné à la Bibliothèque municipale, dans la salle réservée aux jeunes. Moi qui ne connaissais que les bandes dessinées du *Petit Journal,* j'allais découvrir le vaste monde dans les romans de Jules Verne en même temps que les fastes architecturaux de la rue Sherbrooke. Habitué aux banales maisons de briques avec leurs persiennes vert sapin et leurs escaliers aux marches grises, aux remises de tôle qui donnaient à la ruelle une inquiétante allure de désolation, je regardais ces vastes et sombres demeures avec leurs fenêtres à vitraux et leurs balcons à colonnes, et j'avais le sentiment d'errer dans une ville étrangère que le hasard avait édifiée au nord du faubourg où notre famille s'était réfugiée, faute de mieux. Grâce à cet ami dont le père était toujours absent d'une maison où les pas s'éteignaient dans les tapis et dont la mère, sans doute malade, passait son temps à lire dans un salon encombré de meubles lourds et noirs comme le piano, je me risquais à explorer les flancs du mont Royal à la recherche de grottes introuvables et de trésors qui ne l'étaient pas moins. Mais l'important, la merveille, c'était de m'être risqué en terre lointaine, comme dans des « Signes de piste », et d'y avoir rêvé debout.

Pour avoir longtemps donné la réplique en latin de sacristie au curé de la paroisse, on m'accorda une bourse qui m'ouvrit les portes d'un collège sis à l'angle des rues de Bullion et Roy, dans un brouhaha de basse-cour géré à la bonne franquette par des commerçants juifs portant des vêtements de deuil derrière leurs étalages de poissons et de viandes aussi exotiques que ces gros cornichons qui marinaient dans leurs pots. De là il m'était facile de dériver vers l'ouest, dans les quartiers paisibles et verdoyants qui avoisinaient la montagne et d'où je revenais en sentant germer en moi l'amère fierté du pauvre révolté contre son destin. Entre l'Histoire apprise à l'école et mes déambulations, des rapports s'établissaient tout naturellement. Il m'arrivait aussi de me risquer avec des camarades dans les corridors étroits du quartier chinois où les affiches de ses restaurants faisaient naître des ombres suspectes. Moderne Marco Polo privé de mandat et de lettres de créance, je me contentais de flairer l'haleine de cette Chine miniaturisée qui semblait n'entretenir aucune connivence avec le pays où elle pouvait survivre à son passé en toute quiétude.

À la fin des années cinquante, mes parents émigrèrent dans le nord de la ville en remontant la rue de Lorimier jusqu'à la rue Jean-Talon, dans un quartier apparemment sans histoire où il était possible, même tard le soir, de se promener sans craindre la moindre agression. On y rencontrait de grands arbres, on y respirait de puissants arômes d'espresso, et on y découvrait une affabilité un peu désarmante quand on n'y était pas préparé. Des fromages gros comme des gourdes pendaient derrière les vitrines parmi les saucissons fortement assaisonnés, et je rêvais du jour où je me gaverais de pâtes et de ce vin rouge que le voisin extrayait d'énormes grappes de raisins provenant du marché Jean-Talon. En attendant, je bivouaquais dans les boisés de Rosemont et les champs environnant les carrières Miron où j'expérimentais les techniques scoutes avec mon frère cadet et un camarade dont les bras de chemise étaient déjà couverts de badges. Au printemps, des Italiens moroses y cueillaient les pissenlits pas encore fleuris. Encore là preuve m'était donnée que, loin d'être une île comme les autres, Montréal était un continent de peuples exilés parmi lesquels j'errais en doutant de moi et de mes origines au point de ne plus savoir vers quoi tendait mon destin. Je rêvais d'une existence austère, vouée à l'art et à un amour exceptionnel, dans un monde dont les règles seraient changées.

Quand les études me pesaient et que mon âme se chargeait de pensées impures, je m'évadais dans la Chine de Malraux ou l'Italie de Stendhal, sur les plages africaines de Camus ou dans les cauchemars de Kafka, grâce aux livres de poche que j'achetais en économisant sur les transports en commun. Mais j'en revenais toujours avec la certitude que ma patrie se trouvait quelque part entre la rivière de mon enfance et les montagnes où mon âme vagabonde se dilatait, où l'ample respiration des forêts me restituait ma vérité secrète. Mes racines étaient là où j'avais connu l'éblouissante richesse du monde, dans cette contrée peu prodigue qui, rendue à elle-même, à sa sauvagerie originelle, s'était couverte de bouleaux, d'érables, de peupliers, de hêtres, de frênes et de thuyas — forêt proliférante qui s'enténébrait sur les hauteurs d'où dévalaient d'imprévisibles torrents d'une eau froide comme du fer. Mon enfance continuait de vivre dans ces montagnes où mes ancêtres s'étaient brisé les reins et le cœur, peut-être pour que j'y découvre, moi, une contrée propice à ma rêverie créatrice, une sorte d'île au trésor d'autant plus nécessaire que, Montréalais, il me faut l'être le plus clair de mon temps, condition qui a fini, avec les années, par me paraître plutôt enviable. Car dans cette île trop grande dont les bords s'étendent jusqu'en Grèce, jusqu'au Moyen-Orient, jusqu'en Ukraine, jusqu'aux confins de la Chine, on peut se perdre si on le désire, on peut aussi y fréquenter ses oasis — l'île de la Visitation, par exemple, où il est possi-

ble d'herboriser ou tout simplement de flâner les dimanches d'automne. On peut même y vivre, jour après jour,
tout au long de son existence, en respirant l'air du large,
mais à la condition — ici je parle pour moi — d'en connaître les issues, les voies débouchant sur les lointains, quels
qu'ils soient. Mes lointains, j'y ai recours en cas de besoin,
et d'autant plus facilement que je les porte en moi, comme
un rêve inaltérable, hors du temps, hors de toute atteinte.

CAROLE MASSÉ

La rue Saint-Hubert

Il y a de ces villes qui vous appartiennent comme un corps. Avec son possessif à la première syllabe, ainsi en était-il de Montréal, mon lieu de naissance. Grand, l'on oublie que l'on appréhende le monde avec les mots. Petit, l'on palpe la vie à travers ces ambassadeurs qui initient nos jeux de gammes vocales quand le mystère du langage n'est pas encore conquis. À la porte de ce mystère, l'on connaît le ravissement des sons, leur imitation en dessinant avec la bouche d'héroïques grimaces et la fascination pour ces adultes qui remuent leurs lèvres avec tant d'aisance. À l'époque, m'aurait-on dit que cet adjectif possessif désignait une montagne, que je ne l'aurais jamais cru. Même aujourd'hui quand je dis Montréal, je n'imagine pas le « t » ou je m'en moque en le faisant résonner très fort comme dans trébucher, tréfonds ou trépasser ; et je tire la langue à « tréal ». Il y a de ces villes éternelles qui naissent, au cœur d'agglomérations banales, à partir de cette présomption de possession et qui tiennent, parmi une multitude de quartiers et d'artères, en un seul coin du damier.

Le visage que Montréal pencha vers moi, au sortir de ma cour : la rue Saint-Hubert. Au tournant de la rue Mistral, ma mère et moi débouchions sur la rue Saint-Hubert pour « monter » en ville. Cette ascension décrivait-elle

Née le 9 mars 1949. Écrivaine, elle habite sur le Plateau Mont-Royal. *Nobody,* roman, 1985. *Hommes,* récit, 1987. *Los,* poésie, 1988.

l'inclinaison naturelle du terrain à gravir jusqu'au plateau de la rue Villeray ou symbolisait-elle pour ma mère le sentiment d'escalader une forteresse intérieure (ce que laissaient soupçonner sa fébrilité et son élégance lors de ces jours de magasinage de mon enfance)? Quoi qu'il en soit, on abandonnait au pied de la rue Saint-Hubert, flanquée de l'église Sainte-Thérèse-de-l'Enfant-Jésus, les petitesses de la ruelle, de la corde à linge et du balconville pour tenir le haut du pavé : dominer l'automobile d'un pas ferme qui transgresse les feux rouges, échapper à l'ennui des après-midi désœuvrés, vaincre la pauvreté par d'innombrables petites dépenses. Et moi, dans les secrets des sorciers, génies et dieux, j'y trouvais l'occasion de traquer le dragon qui hantait la ville.

Je n'ai jamais vu la queue de cet animal fabuleux qui fuyait entre les maisons et dont les rayons de soleil fichés dans les pare-brise et enjoliveurs chromés des voitures faisaient luire les écailles. Mais le dragon fulminait, j'en tenais la preuve par la vapeur qui s'élevait au-dessus de la chaussée. Au bout de la vue, à la hauteur de la rue du Rosaire, il bifurquait et de longues coulées de sang sur les façades marquaient son passage. C'est ainsi que, de la mercerie de Mistral à la pharmacie de Jarry au 5-10-15 de la rue du Rosaire, je suivais la piste d'une bête d'autant plus féroce qu'elle était blessée au flanc, et son sang se confondait avec la couleur des briques. À Villeray, je décelais l'écume de sa rage de chaque bord du ruban d'asphalte : des ballots de tissu éventrés sur le trottoir rappelaient ses crachats blanchâtres.

De Villeray à Jean-Talon, difficile de sortir des griffes de la bête lumineuse qui serpentait jusqu'à sa tanière du tunnel de Rosemont, tant nous prenions plaisir au désordre du monde et à la diversité des races qu'offrait le visage de la rue Saint-Hubert. Je me souviens d'un vieux Chinois à longue natte à qui maman laissait des chemises à nettoyer, d'un cordonnier qui nous pointait d'un doigt avec un accent chantant les photos de la tour de Pise derrière son comptoir, et d'une modiste des pays de l'Est chez qui maman achetait ses chapeaux cloches. Mais surtout des nombreux commerces de tissus appartenant à des Juifs, avec ou sans calotte, ou à des « Anglais » dont on ne savait jamais *for sure* de quelle nationalité ils étaient, qui nous ensorcelaient durant des heures. Dans ces échoppes sombres, basses, véritables cavernes d'Ali Baba où les quarante voleurs auraient dispersé leur butin aux quatre coins, nous trouvions des trésors. Malgré l'air suffocant qui nous brûlait les yeux et les goulots où nous coinçaient des monticules de pièces d'étoffe déroulées dont les cimes chancelantes menaçaient de nous engloutir, nous dénichions un diamant que maman taillerait en un vêtement seyant pour l'une ou l'autre.

Ma mère jouait dur et coupait les prix de ses trouvailles avec un sang-froid qui me donnait la chair de poule. Au cours d'interminables pourparlers, son air moqueur, ses doigts qui pianotaient sur sa hanche, et la neige de ses yeux dans la pénombre de ces étuves me gênaient. Je jouais à cache-cache dans les dédales de la boutique, chaque empilement de coupons amortissant le tintement de la voix maternelle dans mes oreilles. Si je risquais la tête hors de mon refuge, je captais les coups d'œil du patron sur le décolleté de ma mère. Il me fallut du temps pour accepter que mon dégoût d'alors ne soit nullement partagé par cette sainte femme, et comprendre que cet homme, aux manches retroussées, au col déboutonné et à la sueur perlant sur le visage, lui *plaisait*. Elle glissait avec une grâce féline entre les amoncellements de tissus, de boîtes et de toile d'emballage, le patron sur ses talons, ou stationnait en d'étroits couloirs avec son vis-à-vis sans s'immobiliser, grâce à d'imperceptibles battements d'ailes. Ils argumentaient, protestaient à tour de rôle, attaquaient sans merci, riaient de bon cœur, tout cela à voix basse, et ma mère sortait toujours victorieuse de ces palabres.

L'enjouement de ma mère diminuait chez le marchand de tapis à l'intersection de Jean-Talon, tandis que le mien s'accroissait. De là jusqu'à Bélanger, il est vrai, la rareté des commerces provoquait parfois un sentiment de privation, mais cette légère dépression excitait le plus souvent mon avidité. Et la rue Bélanger livrait à ma convoitise ce concentré de rêves et de fantaisies que représenterait à jamais le lèche-vitrines sur toute rue commerçante de Montréal. La carapace du dragon scintillait et les glaces qui la reflétaient me forçaient à mettre une main en visière. J'entendais son rugissement à chaque attroupement d'humains et le bourdonnement des magasins me renvoyait à la face la rumeur éternelle de son souffle.

Je courais les rayons des jouets et des bonbons, maman traînait le pas dans les boutiques pour dames. En cette nouvelle enclave, tout achat sérieux exigeait encore de sa part un certain barguignage, mais cela s'accomplirait désormais dans les rituels de la civilité et des bonnes manières, avec diplomatie et retenue scrupuleuse, car la langue d'usage était française, la réputation des amies qui nous recommandaient en dépendait, et patron et vendeuse se guindaient sous leurs habits du dimanche. La classe de la boutique se mesurait à la quantité de dames aux masques mortuaires qui gardaient l'entrée et dont l'une se précipitait sur la cliente et la pourchassait entre les tringles à vêtements. Ma mère retrouvait sa vivacité au *5-10-15* où, dans un furetage sans surveillance et pour quelques sous, l'on acquérait moult babioles et, après la razzia sur les étalages de toc et de pacotille, l'on aboutissait au comptoir-lunch de chez *Woolworth*.

Passé la rue Beaubien, je me dégrisais alors qu'un étrange brouillard m'enveloppait. Je ne croyais plus tellement à la chimère que j'avais suivie jusque-là. Le souffle puissant de la bête s'était dissipé et ne subsistait dans le silence grandissant de la rue que le claquement des talons aiguilles de quelques passantes. Les étincelles qui crépitaient tantôt au-dessus de la chaussée expiraient en une atmosphère lourde et terne. Après un approvisionnement à la *Biscuiterie Oscar*, nous traversions Bellechasse et, pareilles aux coureurs à la ligne d'arrivée qui entament un dernier tour de piste pour refroidir leurs muscles, nous marchions jusqu'à l'arrêt d'autobus suivant.

La paix du lieu était totale, et ma conviction, ébranlée : je voyais la route dévaler la pente et s'engouffrer dans le tunnel de Rosemont, vide. L'envoûtement était conjuré ; l'après-midi prenait fin. L'on devait rentrer et rester sur notre appétit : les objets précieux hors de notre portée se résumeraient encore pour moi à la silhouette évanescente d'un être fantastique et pour ma mère au profil interdit d'un être humain.

Un jour, sans emplettes dans les bras, nous descendîmes la côte et pénétrâmes dans le trou noir. Je n'y ai rien trouvé, ni squelette humain ni autres indices de son occupant. Et de l'autre côté du tunnel, je découvris un nouveau pays : le jardin d'enfants, sis au coin de la rue de La Roche et du boulevard Saint-Joseph. Je compris alors que si la rue Saint-Hubert menait à la fête, elle menait aussi à l'enfer, à la réalité de cette classe à l'odeur d'ammoniaque, où s'alignaient de minuscules têtes derrière de liliputiens pupitres.

Je savais déjà tout cela, endormie dans les bras de ma

mère, au fond d'une banquette de l'autobus Saint-Hubert. La tête coupée du dragon roulait à mes pieds et, quand je me penchais pour la caresser, elle se transformait en poire, celle que ma mère me tendrait avant que je n'entre dans la cour d'école. Je me réveillais instinctivement devant les vitrines où j'avais laissé mon cœur à un lapin en peluche ou à un téléphone miniature. Je ne percevais ni les cahots de la route, ni les coups de frein grinçants du véhicule, ni le brouhaha des acheteurs qui se disputaient les places libres et s'y affalaient.

Je n'entendais battre que le cœur de ma mère et j'épiais sa palpitation devant une porte à l'entrée de laquelle *l'homme* aux manches retroussées s'épongeait le front. Puis, à l'apparition du clocher paroissial, ma mère se résignait dignement aux chaînes de l'Église, de la famille et de la maternité dont j'étais le vaillant rejeton somnolant contre sa poitrine. Somnambule, je faisais le trajet de Mistral à mon lit. Quand je me relevais pour souper, avec des yeux pétillants et malicieux m'accueillait maman. Moi aussi, j'avais recouvré ma foi dans la fable et me promettais, à notre prochain congé, de repérer au moins l'ombre de la queue du serpent.

Les villes sont semblables aux humains : elles ont un âge de prédilection et une année de bonne fortune. Montréal en 1955 a trente-neuf ans et possède la beauté et la gloire de cette femme m'inculquant la magie de la rue Saint-Hubert qui conduit aux contrées des contes de fées, en Chine, au Pôle, chez les Étrangers ; et toutes les richesses *made in Japan,* couplées à celles de l'imaginaire, déploient leur splendeur dans les 5-10-15 peints sang-dragon. Sur la rue Saint-Hubert, passion et puissance sont à nous, et refoulent la réalité aux deux extrémités. La Sainte-Catherine de mon adolescence, la Saint-Laurent de ma vingtaine et la Mont-Royal de ma trentaine n'auront d'autre matrice que cette rue de mon enfance, corridor initiatique, lieu de passage où maman et moi faisons peau neuve, où nous nous dépouillons temporairement des servitudes comme de vêtements d'emprunt et où nous donnons figure mythique ou masculine à l'obscur désir qui nous possède.

Amuseurs publics sur le boulevard Saint-Laurent (photo de J. Lambert).

HÉLÈNE MONETTE

Le mal du pays

Incroyablement
sortir de Montréal, les yeux à l'envers
le rythme cardiaque ébloui par les tensions de la race

tout s'explique
rien ne s'efface

tout le monde est blanc
et personne ne parle autrement

Inévitablement
partir de Montréal, les yeux fermés
ne même pas reconnaître l'exotisme des cartes postales
        du monde entier
aller se coucher sous la banquise
                    sous un palmier

chacun son truc
y a pas de mal

Évidemment
revenir à Montréal, les yeux louches
le cafard raisonnable complètement hors de soi

Née le 11 juin 1960. Relationniste, elle habite sur le Plateau Mont-Royal. *Passions,* poésie, 1982. *Montréal brûle-t-elle ?,* poésie, 1987.

tout le monde est formidable
et personne n'a le temps

la vie est épouvantable
et chacun tient le rang

Décidément
dormir n'importe où
noyer ses yeux clairs   dans la rivière
                                  dans le fleuve
                                  dans la mer
se rouler en boule dans sa propre gorge
faire des sourires méchants aux espions qui
      supplient   de répondre aux questions
bousiller l'enquête
tirer les rideaux sur ce fond de cour blême et paradoxal

y a pas de mal

le cœur a ses raisons
que la cervelle met en pièces
et tout s'entrechoque
dans la tendresse bordel

       la douceur est multinationale comme une
            confiture
       la douceur est rude comme un couteau à lame
       digitale

       ghetto condo
       tout le monde s'installe

— Qu'est-ce qui ferait votre bonheur?
— Le confort mental…

La ville n'a pas d'odeur
le fric en couleurs
s'épuise

y a pas de crise
tout le monde garde l'humeur

la vie démange
déménage de cœur
change de chemise
comme de rancœur

le printemps appartient aux canailles
y a pas d'erreur

      au pas de course sur la montagne
      le monde est grand
      et personne ne court autrement

   — Qu'est-ce qui ferait votre bonheur?
   — Revoir Montréal…

La ville n'a pas de couleur
le fric est odorant
et grise

Infiniment
désoler sa tête en l'inclinant légèrement vers la gauche

en brisant la glace amoncelée sous la crinière
et ne rien faire
passer le temps

prendre une marche sur Saint-Laurent
                    sur Mont-Royal

y a pas de mal

comprendre le truc
comme prendre l'air.

FRANCE MONGEAU

Grue de flèche

la stelco dans sa poussière d'ocre a laissé traîner ses
    outils.
d'autres trésors.
encore irrésistibles.
chaque détail vient marquer les yeux avec violence
et souffle inlassablement dans les cours à ferraille.
nous marchons chacune d'un côté de l'eau.
vers la gare de triage. plus loin.
à l'ouest.

elle a peur. d'une peur troublante. ça se voit dans son
    corps qui hésite. frileux.

des greniers à ferraille s'élèvent au bord de l'eau.
et d'autres usines. grises figées.
le canal ici suit la piste de très près.
de même la voie ferrée.
une odeur toujours nous trempe
de fermentation rouillée.
et multiplie les rats
et les mouettes grises, brunes,
lasses.
certaines nuits elle vient de ce côté-ci.

Née le 3 mai 1961. Écrivaine, elle habite à Notre-Dame-de-Grâce. *Lettre en miroir*, poésie, 1980. *Lumières,* poésie, 1986. *Indices noirs,* poésie, 1987.

elle marche sans s'arrêter.
parfois peut-être elle se repose.

j'ai attendu plusieurs nuits. comme elle. en vain.

la noirceur des détails encore perce la peau.
le corps se resserre à surveiller les ombres
et les bruits abandonnés.
le décor est troublant.
chargé d'objets difformes et d'ombres en lambeaux
qui donnent une fièvre brumeuse à chacun de mes
        gestes.
des carcasses de métal se dressent en statue.
elle les regarde, et attend.
ainsi toutes les nuits.

devant nous les grues de flèche se détachent du ciel. elle
        les a vues.
je sais qu'elle aime cet endroit. à cette heure du soir. à
        cause de la couleur du ciel qui découpe les choses.

les usines ont jeté de la limaille dans l'eau.
ce soir éternelle. gelée.
le canal gris de ferraille et lourd encore
brillant sous la lune.
en d'autres voies mortes entrelacées
pourtant impitoyables.
elle les imagine, ainsi immobiles
chargées de wagons désaffectés.

j'étire mon corps pour le coller à la nuit. je la vois de
        l'autre côté du canal. sur la route. elle lance des
        pierres dans les buissons secs pour faire crier les rats.

ÉMILE OLLIVIER

Propos d'un musard impénitent

*Cette ville glaciale te tuera
ou te ressuscitera...*

Paul NIZON, *L'année de l'amour*

... Revenais-je de cette maison d'agonie que je fréquente depuis des années, trois fois par semaine, même les matins de gel? Revenais-je de ce lieu de l'Inexorable où je côtoie avec les yeux de la lucidité, lumière la plus parente du Soleil, la souffrance et la décrépitude d'êtres décharnés, funambules accrochés à la vie? Rentrais-je d'une de ces rencontres-marathons avec les miens, amis exigeants, empoisonnés par leurs rêves floués et un reste d'espérance, qui tentaient obstinément de refaire le pays lointain, le pays de la perte, pendant que le temps leur faisait cortège?

Promeneur assidu, j'avais aspiré, tout l'après-midi, l'air froid de l'hiver, transpercé par l'aigreur du vent. Pourtant, Dieu le sait, Montréal n'incite pas à la flânerie! Comment pourrait-il en être autrement, quand il n'existe pas de bancs à l'ombre tiède où se reposer, d'édicules publics où se soulager? Quand la température, la largeur des rues, l'absence d'arcades forcent à entretenir avec les boulevards,

Né le 19 février 1940. Professeur, il habite à Notre-Dame-de-Grâce. *Paysage de l'aveugle,* nouvelles, 1977. *Mère Solitude,* roman, 1983. *La discorde aux cent voix,* roman, 1986.

les trottoirs et les édifices du centre-ville une relation de pure fonctionnalité ? J'ai même vu, naguère (était-ce à la Plaza Alexis Nihon ou à la Place Ville-Marie ?), une curieuse inscription : *Interdit aux flâneurs et aux chiens*. J'ai même vu des policiers zélés (était-ce au Square West-mount ou au Complexe Desjardins ?) ouvrir un œil vigilant et pourchasser, la trique menaçante, la gent vagabonde : robineux, jeunes chômeurs et autres sans domicile.

Je me suis alors demandé comment moi, musard impénitent, j'allais m'arranger pour rester dans cette ville, moi qui avais déjà parcouru tant de chemins, vu des pays prodigieux, traversé des paysages plus beaux que la vie. Mes pieds poudrés avaient gardé mémoire de caniveaux, de bitumes et de nids de poules des quatre coins cardinaux. Que de villes m'avaient couvé ! Que de lieux d'incubation douce et de chaleur enveloppante ! J'avais marché dans leurs rues, fait des rencontres de fortune et croisé des compagnons de hasard.

Depuis longtemps, j'avais largué les amarres et ma barque, fatiguée de traîner dans la suie et le bruit des ports, mes valises non défaites, avait échoué à Montréal. Des nouvelles que le vent m'avait apportées, disaient que dans cette ville à l'extrême nord du froid et de l'exil, mes compagnons avaient trouvé chaleur et chambre belle. Je savais que je pouvais compter sur leur hospitalité. J'étais décidé à apprendre à vivre autrement, à remonter du fond d'une léthargie, d'un sommeil mort, où vivre m'oppressait comme une douleur latente, une souffrance diffuse.

Vivre autrement, c'était rejoindre des êtres qui m'étaient chers et pour qui je découvrais au fond de moi une fidélité exemplaire. Vivre autrement, c'était aussi retrouver l'étonnement d'un enfant, à Noël, devant un étalage illuminé de la rue Sainte-Catherine ; c'était hésiter à l'entrée du *Crazy Horse*, sur Côte-des-Neiges ; c'était me blottir dans un fauteuil, au cinéma *Élysée* aujourd'hui disparu, et passer de longs après-midi à revoir le même film en me disant que je prenais le temps de vivre ; c'était fuir la trépidance des grands boulevards, couper avec la fréquentation de tous ces lieux, ces bouges, ces criques, où j'avais erré seul essayant désespérément de recoudre les fils de ma vie éclatée.

J'avoue : il m'a été difficile de faire de Montréal mon lieu de séjour permanent, tant au début cette ville m'était apparue sphinx aux énigmes impossibles à déchiffrer. Un fleuve majestueux ! Je n'arrivais pas à comprendre que Montréal n'habite pas le bord de son fleuve, orphelin de bateaux-mouches, de terrasses, de baignades et de promenades des Anglais. Quel gâchis !

J'ai mis du temps à appréhender le sens de cette ville. Aujourd'hui, je connais sa richesse. Une simple virée m'offre la possibilité de franchir, en un temps record, plusieurs frontières, car je possède enfin l'aune pour mesurer ma dérive. J'aime à dire que je n'habite pas Montréal mais une aire qui, partant du boulevard Décarie, longe le bas Westmount avec beaucoup d'affection pour la rue Sherbrooke, vire à l'angle Saint-Denis et rebrousse chemin vers Côte-des-Neiges, après un passage obligé par la rue Laurier, pour mourir à Snowdon.

Dans ces territoires, j'ai découpé mes petites planètes, aménagé des ports, des passerelles et des viaducs. Cela fait vingt ans que je sillonne ces boulevards, que je zigzague ces rues, que je crucifie ces venelles comme un amateur de mots croisés. Les jours où le soleil déborde de générosité, je me mets en grand frais, j'arpente la rue Sherbrooke, évitant, allez savoir pourquoi, de bifurquer sur la rue Green. Entre Guy et Atwater, j'ai quelques moments de déprime, car il n'y a de maisons que d'un côté de la rue. Je reprends ma bonne humeur à la rue Saint-Laurent. Aucune raison de s'en étonner, elle est reconnue comme le poumon de la ville. Rue Saint-Laurent, rue de la bigarrure, des accents et des odeurs. Il m'arrive quelques fois de faire un pas de côté pour retrouver l'avenue du Parc où Grecs et Portugais déchus se souviennent de leurs splendeurs d'antan. Quand le soleil crève vraiment le ciel, je pousse une pointe vers l'est de la rue Jean-Talon où les Don Giovanni de cartes postales sifflent des *mamma mia* de passage. De leurs longues jambes minijupées, elles arpentent comme des compas la lisière des terrains de jeux improvisés où les hommes jouent à la pétanque, sanctionnant les mauvais coups, les ponctuant d'un juron québécois, avec le plus pur accent de la lointaine Sicile. Quand tombe le soir et les rumeurs de la ville, je reviens sur mes pas pour escalader le mont Royal. Là, je me laisse absorber par la nuit et la solitude. J'avance avec prudence dans l'herbe haute, sous les arbres et entre les rochers, comme un Indien, jusqu'à ce que j'aie les nuages au-dessus de moi. Mais, quand il fait froid, je m'engouffre dans la première bouche de métro.

GÉRARD PELLETIER

Une oasis

Montréal vue de la province, en 1939, par un garçon de vingt ans, c'était par définition la ville des écrivains. De quoi d'autre aurait-il pu rêver ? La métropole de l'époque ne comptait pas un seul cinéaste, à peine une poignée de saltimbanques, deux douzaines de danseurs et quelques postes de radio. Je ne connaissais même pas l'existence du Musée des Beaux-Arts…

En revanche, les écrivains étaient connus au fond des plus lointaines campagnes, pourvu qu'il s'y trouvât un collège. Dans les deux institutions que j'ai fréquentées, les bibliothèques auxquelles nous avions accès souffraient de dénuement chronique. En revanche, certains de nos professeurs possédaient en propre des rayons bien garnis. À même des salaires d'une effarante modestie, ils trouvaient le moyen d'acheter tout ce qui se publiait ici (ce n'était pas grand-chose) mais aussi beaucoup d'ouvrages français. Les livres, à l'époque, coûtaient le vingtième de ce qu'ils coûtent aujourd'hui.

Je me figurais donc Montréal comme une capitale littéraire. Je m'attendais d'y retrouver en chair et en os les Ringuet, Hertel, Berthelot Brunet, Jovette Bernier, Simone Routhier, Saint-Denys Garneau, Grandbois, Savard, qui encore ? J'y croyais regroupés en un lieu quelconque, bien

---

Né le 21 juin 1919. Journaliste, il habite à Westmount. *La Crise d'octobre,* essai, 1971. *Les années d'impatience,* souvenirs, 1983. *Le temps des choix,* souvenirs, 1986.

que l'Académie ne fût pas encore née, tous nos auteurs vivants, qu'ils fussent montréalais, québécois, trifluviens, sherbrookois comme Alfred Desrochers ou « saintadéliens » comme Valdombre. Mon inconscient de provincial paraphrasait Montesquieu : « Comment peut-on *ne pas* être montréalais ? » quand on est écrivain au Canada français.

Je tombai donc de haut en arrivant dans la métropole.

J'avais beau chercher, m'informer, promener en tous sens ma lanterne, je n'arrivais pas à repérer le lieu où se retrouvaient les écrivains. Jusqu'au jour où François Hertel (je le connaissais depuis un séjour commun à Mont-Laurier) m'apprit qu'il n'existait pas de tel endroit. « C'est peut-être mieux ainsi, ajouta-t-il, caustique comme à son ordinaire… Nous ne sommes pas très fréquentables. Pris individuellement, passe encore, mais en groupe… ! »

Puis je découvris malgré tout quelques cénacles.

Le plus étrange, et de loin, logeait à l'enseigne d'un café grec, rue Sainte-Catherine, non loin de l'angle Amherst. C'est Roger Varin qui m'en révéla l'existence et m'y introduisit, un soir d'automne. À l'époque, les sources françaises étant taries par la guerre, Varin faisait un peu d'édition. Il connaissait donc plusieurs auteurs. Je ne crois pas toutefois qu'il eût jamais publié aucune œuvre du maître qui siégeait dans l'arrière-salle du café *Napoléon*. (À moins que ce café ne fût le *Rialto* ou le *Rex* ? Je ne me souviens plus.)

Il régnait dans cette arrière-salle une atmosphère de clandestinité. Non pas qu'on y tînt des propos subversifs : le romancier Rex Desmarchais, *guru* intellectuel du lieu, n'avait rien d'un révolutionnaire. Le climat de conspiration tenait au fait qu'on buvait là, je crois, de la bière et du whisky, alors que l'établissement, dépourvu de la classique

« licence complète », ne pouvait légalement débiter que des eaux gazeuses...

Desmarchais se tenait donc au bout d'une petite table, entouré de cinq ou six jeunes gens, aspirants romanciers. À cinquante ans de distance, je ne saurais retrouver dans ma mémoire les propos que nous tint le maître. Je me souviens seulement qu'il nous parla de son dernier livre, *la Chesnaie* je crois, et de celui qu'il était en train d'écrire. Le lendemain, je me plongeai dans *la Chesnaie* et jamais plus je ne retournai au café *Napoléon*.

*

J'avais compris qu'il fallait, pour rencontrer les écrivains, être invité chez eux. Mais comment s'attirer une invitation sans violer les règles du savoir-vivre ? Il suffisait d'appartenir à la rédaction d'un journal, n'importe lequel, fût-ce un mensuel étudiant comme celui auquel je collaborais. Les écrivains d'alors (ceux d'aujourd'hui sont-ils si différents ?) refusaient rarement une entrevue. Dans les périodiques de l'époque, on ne parlait guère des livres.

Ainsi pénétrai-je dans le bureau du Dr Philippe Panneton, oto-rhino-laryngologiste, alias Ringuet, qui venait de publier son deuxième ou troisième ouvrage. Un après-midi de décembre, après ses consultations, il me reçut fort aimablement.

— Comment peut-on à la fois écrire des livres et pratiquer la médecine ? lui ai-je demandé.

— Très simple : je ne joue pas au golf.

C'est tout ce qui me reste d'une conversation d'une heure au cours de laquelle Ringuet eut la courtoisie de me faire oublier mon âge et mon ignorance.

*

L'appartenance à une rédaction crée aussi des rencontres fortuites, mais on n'en profite pas toujours. La mise en page du mensuel étudiant déjà mentionné me conduisait chaque mois dans une imprimerie de Sainte-Anne-de-Bellevue où s'imprimait aussi le *Bulletin des agriculteurs*.

Dire que ce dernier périodique ne m'intéressait guère serait une litote. Mais au milieu de la journée, la jeune femme qui en assurait la mise en pages partageait avec moi le bout de table où nous déjeunions tous les deux sur le pouce, au milieu des plombs, des épreuves, des maquettes et des pots de colle. Elle apportait son *lunch* comme un ouvrier de la construction ; je faisais de même. Bien que la pause fût brève, nous avions le temps de converser un peu. Nous parlions de journalisme, de mise en pages, de clichés, d'impression bonne ou mauvaise. Discrète, timide, jamais elle ne me demanda mon nom. Intimidé moi-même par sa timidité, je ne lui demandai jamais le sien. Or, quand parut plus tard *Bonheur d'occasion* et que la photo de l'auteur parut dans les journaux, je me rendis compte que cette camarade de mise en pages était Gabrielle Roy. Moi qui recherchais la compagnie des écrivains, je manquais décidément de flair pour les repérer, même de près !

*

S'agissant de Félix Leclerc, il était déjà célèbre quand je fis plus tard sa connaissance. C'était en 1943 et nous allâmes le dénicher, ma femme et moi, dans le grenier de Saint-Jovite où il se réfugiait de temps à autre pour travailler en paix. Il ne s'agissait pas cette fois d'une interview ; nous allions solliciter sa collaboration. Car pour l'heure

Félix ne chantait encore ses chansons que dans la plus stricte intimité. Le public ne connaissait de lui que l'écrivain, auteur d'une émission radiophonique très populaire diffusée par Radio-Canada.

Depuis cette première rencontre, je n'ai jamais cessé de m'étonner qu'il fût plus tard si peu bavard, sur scène, quand il aborda le monde du spectacle. Car dans l'intimité de son grenier, puis au presbytère du curé Mercure où nous devions prendre ensemble le déjeuner du dimanche, ce fut un feu roulant d'histoires, de souvenirs, de saillies comiques et de commentaires désopilants sur l'actualité. Lui ne tarissait pas et nous nous tenions les côtes. J'ai connu dans ma vie peu de raconteurs aussi drôles que Félix. Mais en scène, jamais un mot, si ce n'est parfois le titre de la chanson qu'il s'apprête à interpréter.

*

Peu de temps après ces rencontres, je dus interrompre ma quête des écrivains montréalais pour en entreprendre une autre. Inscrit à la Faculté des Lettres, cette autre recherche me fut imposée par mes cours et orientée vers un écrivain « français de France », comme on disait alors.

J'étudiais Balzac. Pour les fins d'une maîtrise, la Faculté avait obtenu de l'archevêché [sic] la permission de nous faire lire *tout* Balzac. Nous étions donc affranchis des interdits ecclésiastiques et nous pouvions lire aussi bien les œuvres à l'Index que celles permises par le Vatican.

Seulement, nous tombions sur un os. D'une désespérante pauvreté, la bibliothèque de l'Université de Montréal ne possédait pas l'œuvre de Balzac. Quant aux bibliothèques publiques (municipale et Saint-Sulpice), elles la possédaient peut-être mais n'avaient pas l'autorisation (toujours l'Index) d'en prêter tous les ouvrages. De sorte qu'il fallut nous procurer ailleurs les romans du grand Honoré. Or, second os : la guerre avait interrompu le commerce de l'édition entre la France et le Canada. Les livres d'occasion restaient donc notre unique planche de salut. Mais encore fallait-il les dénicher. Après quelques mois, je connaissais à fond les librairies de Montréal.

À l'époque, elles étaient peu nombreuses, pauvres pour la plupart et, du moins dans mon souvenir, très éloignées les unes des autres. Pour dégoter une *Eugénie Grandet* ou un *Cousin Pons,* on devait donc parcourir des kilomètres, à pied ou en tram, et farfouiller des heures durant dans des monceaux de vieux livres. Ce sport ne manquait pas de charme. Je ne retrouve jamais sans attendrissement, dans notre bibliothèque conjugale, *l'Illustre Gaudissart* ou *le Lys dans la vallée,* pauvres brochures poussiéreuses et fatiguées. À cela, rien d'étonnant ; elles l'étaient déjà quand je les ai achetées, voilà cinquante ans bientôt.

*

Lors d'une réunion outaouaise des années soixante-dix, alors que nous tentions de mettre sur pied une politique canadienne de l'édition, Jacques Hébert se fit applaudir en proclamant d'entrée de jeu : «Pour se consacrer à l'édition, dans notre pays, il faut être un peu fou. » Il fallait l'être bien davantage, au début des années quarante, pour s'adonner soi-même à la littérature. Et pourtant, les fous de ce type se sont multipliés à un rythme étonnant, dans notre bonne ville, à compter de ces années-là.

Le Canada d'alors était un immense désert culturel. Montréal, par comparaison, faisait tout de même figure d'oasis. L'eau n'y était pas encore très abondante, mais on n'y mourait pas de soif!

FRANÇOIS PIAZZA

Trans-Rachel Express

Au commencement était « la track du CP » !

Oh je sais ! On pourra toujours me dire qu'au-delà du pont grêlé, fendillé, prêt à rendre son tablier, il y a une rue Rachel qui se noie dans les broussailles et les ateliers abandonnés d'East-Angus. Si on peut appeler ça une rue ! De toute façon, elle va se faire bouffer par les dunes des condominiums uniformes et proprets qui crénellent l'horizon, avançant chaque fois un peu plus quand soufflent les subventions !

La rue Rachel à moi, celle de l'en deçà, démarre « nette-frette-sec » au bord du canyon où coule la voix ferrée. On ne l'entend plus guère : autrefois montaient de la tranchée les jérémiades des freins, rythmées par le boogie-woogie des essieux, le « stomp » marqué à l'aiguillage. Quelquefois, les soirs d'orage ou de grand froid, éclatait la plainte du grand sifflet strident et gras. CPR blues !

De nos jours il arrive que, de la gorge encaissée, monte le bruit d'un de ces trains fantômes venant de nulle part, partant vers n'importe où. Le temps de hanter un silence entre deux « rushes » d'autos !

D'ici à de Lorimier, le raz de la rue déboule entre deux berges de rez-de-chaussée maquillés de tons gueulards. Rouge pompier, jaune citron. Avec en prime,

---

Né le 13 mai 1932. Pigiste, il habite sur le Plateau Mont-Royal. *Chants d'Amérique,* poésie, 1965. *Mémorial du Québec* (tomes 3 et 4), essai, 1980-1981. *Blues Note,* nouvelles, 1986.

CKOI-FM l'été. L'hiver, «Mon beau sapin, roi des forêts».
Ma rue tapine! «Slouvaki», «Fruiterie», «bazar», «auto-
body» et «6/49». Une litanie entrecoupée par deux tavernes qui se déguisent en «brasseries». En vain : briques de
verre, «Ouvert aux dames» et billards verts entraperçus,
l'été, dans les portes entrebâillées, les trahissent!

Au-dessus, les maisons. Carrées, lisses et patinées.
Espacées, çà et là, par les enfants du feu : un trou ou pis!
une intruse mauvais genre en placo-plâtre : à snober! Le
reste : des maisons honnêtes, un peu bigotes sur les bords.
Des maisons d'ouvriers méritants et arrivés, serre-freins ou
contremaîtres du jadis East-Angus.

Flash-back! Des messieurs en gibus parcourant gra-
vement les trottoirs de Noël et des dimanches du temps des
années dix. Accolés par Madame en chapeau poussant le
landau, et le petit avant-dernier en costume marin qui se
pend à la main. Suivis, la queue leu leu, par la fournée des
enfants endimanchés en ordre de taille accroissant que l'on
traîne. À la messe ou à confesse, juste à côté, coin
Papineau…

Papineau, la frontière entre jadis et hier. Avant l'église
sur le coin s'étale, en guise de garde-barrière, une de ces
casernes de Dieu, longues et grises, briques en simili-
pierre mais béton garanti, semées sur le Plateau Mont-
Royal du temps de la richesse altière, de la mainmorte et
des féodaux. Un château d'où régnait Monsieur le Curé
(souvent Mgr le Chanoine!) assisté de bedeaux, de cornet-
tes et du bleu des Enfants de Marie, sur les ouailles ratta-
chées à l'Immaculée-Conception.

Plus de chants, ni de processions. Sauf celles de la circulation. Les «Dominus vobiscum», les «Ora pro nobis»
les dimanches à complies sont partis. Dans la bâtisse en
simili, où la chorale en épectase se pâmait en oraison, on

pâtit. Avec des « han ! », avec des « hi ! », et des instruments de torture règne ici une nouvelle Inquisition. Traquant la calorie, elle extirpe la graisse, nouvelle hérésie ! Les fidèles repentis multiplient gestes et flexions en guise de contrition. Martyrs de la forme et de l'immortelle jeunesse. Celle de la télévision ! À l'Immaculée-Conception, Dieu est parti. Ou bien a-t-il changé de nom ?

Passé le coin, place au théâtre !

Côté jardin, c'est selon la saison. L'hiver, c'est le désert. Mis à part, çà et là, les jours de calme froid, les éphèbes graciles oscillant sur la tige de leurs jeans trop serrés, ou les blondeurs industrielles, aux bustes tapageurs prêts à faire éclater leur cocon de denim, qui chaloupent perchées sur des cuissardes à hauts talons en quête de clients, les lieux semblent désertés.

Semblent. Car en dépit des arbres sentinelles, il arrive que des ombres arrivent à se glisser entre le grisé et le laiteux dans le blanc. Furtivement.

La musique du printemps est scandée par les « Léon ! Léon ! » des paons, tandis que derrière la barrière en bois de guingois, devant les mini-bulbes damassés blanc crevé bleu pété, Taj Mahâl du kétaine, des lamas blatèrent. Il flotte alors une odeur de pollen, de crottin et de terre. C'est le printemps.

L'été, sur l'orée du parc, ma rue Rachel joue au jardin anglais : le gazon y pousse comme il peut. Des bulbes en fleurs font la haie d'honneur face au monument verdâtre chamarré par les pigeons et les coulis. L'air se parfume de vase, d'aubépine et de tuyaux d'échappement, bruité par le cri des goélands tournant autour des jets d'eau en faisceau de la mare étale qui se prend pour un lac.

Côté cour, ma rue hoquette. Un coup, boîte carrée, un et demie, tout confort. Un coup, vieille maison avec vue imprenable sur les écureuils, les voitures et la pataugeuse. Momie au corps évidé. Garnie de gyproc, de bois plastifié. De feux de cheminée nourris au 220 watts. De yuppies pour qui c'est la ouate ! Le pied ! Le paradis en boîte et à douze pour cent en vingt ans de paiement !

Ça et là cependant quelques épaves d'une lointaine Gaspésie. Échoué sur le coin d'une rue, en lettres bien calligraphiées flottant sur des vaguelettes jaune canari *Au bout du quai* l'ancien temple du western ! Déserté ! Que sont nos cow-boys maritimes devenus ?

Les derniers ont pris pour chapelle le bistrot d'à côté. Entre les filets du plafond et ceux du bas en résille de la grosse femme de la table à côté, ils rêvent. Fixant la broue crétée qui flotte sur la bière, tandis que le chanteur à la veste frangée et parsemée de strass pleure sur « le p'tit cœur laissé après 9 heures ». On baigne dans le « fort » et la nostalgie. Pas tous les jours, camarade ! Dans la vitrine, il est écrit « Mercredi, rigolade ».

Autre méridien du temps. Entre la tour décatie (« Apt. de luxe 2 1/2 », ah oui ?) et le château rococo nappé aux alentours de bleu police et de rouge pompier. Après, Rachel métisse avec les restes de l'air du temps. Bric-à-brac, inventaire ou poème de Prévert ? En tout cas…

Comptoir-lunch et *Toyota*, deux traiteurs et granola, *Galerie Graft* et *Roy-Nat*. Et un *Palais des nains*, un !

Trois petits Chinois sortent du *Lézard*. Mike Jagger — un faux ! — va vers le *Château*. Deux blondines maquillées en Céline Dion, un acteur — un vrai ! — déguisé en rien. Et un magasin de B.D., un !

Il y a toujours deux ou trois maisons passées au feu attendant un dieu pour les mettre au goût du jour. L'épicerie aux vitrines isabelle, constellées de « spécial », et la boutique dernier cri. La « coop » verdâtre sur le coin affichant trente mouvements de combat, presque toujours déserte ! La *Librairie des femmes* prête à pourfendre le macho putatif, et le bowling d'où sortent, dimanche après-midi, les Rambo aborigènes du Plateau parlant fort et riant gras. Et swingue la baquèse au fond de la boîte à bois !

Jusqu'à Saint-Denis, ma rue Rachel est un peu folle. Un peu «pétée». Un peu «partie». Avec un merveilleux délire : celui de la vie…

Il suffit de passer Saint-Denis : voici Rachel en Ibérie. Drapé dans ses colonnes sous son fronton frileux et décrépi, Saint-Jean-Baptiste, palais de Dieu, a un peu l'humilité arrogante des jésuites espagnols. Le stuc y joue au marbre, le plaqué cuivre, à l'or. La nef monumentale attend une armée de fidèles qui ne viendront jamais. Un noble déguisé en gueux !

L'Hispanie est partie se confondre en des lieux plus cossus. En reste un air, une bouffée. Un relent d'oignons roux et de *tapas* d'un antre bleu qui se débrouille côté soleil d'être dans l'ombre. Où l'exil vient transformer le Guatémala en légende.

À petites touches, à petits traits, tout devient portugais. Apparaissent çà et là, dans les vitrines surchargées, les petits coqs tout bariolés, les bidons sang et or. À l'œil et au nez, l'été, on y devine le royaume de l'olive et de la sardine, du vin vert et de la morue grillée. Bientôt, à Saint-Urbain, Rachel s'épanouit dans les Açores. Avec sa place et son église de Santa Cruz, Rachel s'offre un dernier blues, teinté *fado* mais «sodadé» à souhait : celui d'un Portugal ultra-marin rêvant d'îles ensoleillées.

Il était temps. Le dernier poste frontière avec ses fenêtres doublement grillagées a un air renfrogné. Peut-être parce qu'il veut jouer à ce qu'il est : militaire. Et n'y arrive jamais. Car ce n'est pas avec ses cadets jouant au défilé ou bien ses vétérans en habits rouges de gala qui font soldats en chocolat, tous les 11 novembre ou les 1er Juillet, qu'on le prendra pour un foudre de guerre. Devant lui, Rachel se fond dans le vert du gazon, court se cacher dans le piémont de la Montagne.

Terminus! Tout le monde descend! Les passagers qui veulent aller plus loin sont priés de changer d'écrivain. Le Trans-Rachel Express est arrivé!

JACQUES RENAUD

Black Seven

1

Black Seven. Sept nuits par semaine. Bouillons.

2

Un frisson de vent bleu
glisse aux souches qui perlent
et la lune s'écoule
le long des bâtiments
des buildings et des gens
comme un or bleu qui perle
dans les prunelles :
c'est Montréal d'argent
Montréal yin Montréal grand
brisant son carcan
par masses délicates
qui coulent sur les lattes
où la lune se dore et s'endort
y mirant ardemment ses lueurs comme des perles
qui crient
dans des coupelles

Né le 10 novembre 1943. Écrivain, il habite sur le Plateau Mont-Royal. *Le cassé,* roman, 1964. *La colombe et la brisure éternité*, roman, 1979.

d'argent
comme des médailles d'amour sur les trottoirs bleutés
    par la pluie.

3

Et les larmes d'amour
de la lune qui bêle
et qui lève
et qui coule
et qui boule
et burine
des hideurs
et des charmes de fiels
qui me hissent en leurs ciels.
Elle est démente et douce
et doucement démente
et belle.
Elle pleut bleue sur le ciel
et l'asphalte est un miel
noir comme un beau corbeau.
Sept.
Elle est grâce et noire et Sept. Sept effrayant mou,
    doux.
Sept effrayant.
Double triple et chanceuse. Sept.
Noire Seven. Black Sève. Noire Seven.

4

Burine des cœurs
sur les murs de la peur
et l'empoussièrement
d'eau gelée où sommeillent
les nuits bleues, les merveilles.
Phares.

Aimer. Chaînes aux mains, aux pieds.
Aimer. Chair de chêne.
Chêne. Chêne de chair. Bondé.
Montréal est un arbre de chair bondé comme un grand
        chêne
Yin.
Pour ever.
Et une croix. Dessous.

5

Les laves de lueurs
crient klaxonnent. Bells absentes.
Le ciment s'acharne
à rappeler le sens. Les cloches carillonnaient. Avant.
Plus maintenant. Le ciment s'acharne à rappeler les
        sens.
Transmis sens. Oh oui. Montréal.
Transmis sens. Go berserk. Go sweetly berserk.
        Doucement.
Douce. Doucement. Doucement, semant. Doucement,
        semant, s'aimant.
Doucement semant.

Tout azimut semant.
Toute contrée semant.
Tout pays semant.
Toute langue semant.
Tout. Cosmopolite. Tout.
Tout. Tout. Tout.

Laves de lueurs
sang d'amour et lumière
printemps printempérants.

Chante l'amour ténébreux plein de bleu
tes ailes sont si belles
et ton feu si bon Dieu.

Feu.

Montréal c'est l'éternité
que le ciel trop pur
n'a pas encore vue.

Nous vivons dans un immense océan bleu transparent
        où la ville n'est pas encore venue au monde.
Ses têtes les plus hautes brillent sous l'eau de l'air.

6

Les enfants.

Par milliards ils affluent
des quatre coins du monde
et murmurent doucement

en transmettant au monde
le retour du désir
et la pureté du rire.

Dévorés de malaises
et riant dans la neige,
les enfants de demain
construisent un grand refuge
de neige et de distance
dans un pays lointain,
superbe et si serein,
un refuge, demain.
Et des jeux
pour leurs milliards
de mains. It's Love. It's Love. It's all Love.
Montréyin. Montréyan.
Montré. Mont.
Tré. Mendous.

O.K.
Dites-moi quelque chose.
Comme anciennement.
Enfants. Enfants.
Comme anciennement. Autour du feu caché.

Nous sortons des jungles du dedans.
Nous avons parcouru les domaines,
les sombres.
Nous avons traversé
l'opaque mur de haine.
Nous venons de la terre.
Nous venons du dedans.
Nous débusquons les peines.

Et nous ne savons pas.
Mais nous prions.
Votre ville a des larmes bleues
plus douces que les vôtres.
Il lève en nos déserts
un nouvel enfer. Décrivez-nous le vôtre. Et nous le
     réduirons.

Notre amour inondait.
Les anses étaient fétides.
Nous avancions émus.
Étapes perfides. Du sang. Des cris. Des bombes.
Votre ville a des larmes bleues comme des ondes.
Friselis doux d'animal aux couettes blondes.
Amour. Montreyin. Montreyan. C'est l'amour. C'est ici.

Nous avons tout. Rayonnant du cœur tout.
Affranchissement. Refuge total. Montréal. Bienvenue.
Alliance, alliage, alloy.
All.

Ton âme est inconnue.

Circulaire et secrète. Comme un zéro plein de sept.

Autobus 27.

7

Montréal me tire
sept fois un cri d'amour
qui recommence le matin

sept fois.
Sept fois l'entraille éclatée.
Sept fois.
Sept cris d'amour silencieux comme des épées.
Sept fois
comme sept fois le rire de sept cents bébés.
Sept fois
le temps
craque.
Sept fois
sa branche craque.
Sept fois
en une seule.
Sept en amour.
Sept.
Sept en amour.
Sept est en amour
avec la ville.

Sans détour.
Il entoure,
en se cassant,
la ligne du temps
tout le temps ;
écoutez craquer le temps
sept fois
tout le temps
avant la fin des temps.

8

This is a mystery. Mystery in myself. We're dreaming it
    seven nights a week.

Craque un cri d'or
dans le cœur du miroir.

Dehors.

Le soir. Une étincelle d'or rêve.

Le mystery du temps.

Temps. Le mystery du temps.
Black Seven. Sept nuits par semaine. Dors.

Black Seven et Black Laine. Dors. Rêve.

Rêve bourdonne, rêve bourdonne, rêve bourdonne.

Rêve. D'or dors. Rêve. Montréal rêve.

JEAN ROYER

Vue du fleuve

1

Je glisse à la surface du paysage
qui suis-je dans cet espace
qui s'ouvre au temps
je viens d'aussi loin que le froid
et pourtant ce qui m'habite
ce vertige au bord des mots
qui me déporte
la solitude au cœur du voyage

2

« Nous avons découvert ce pays
dans le froid d'un fjord
au commencement du grand fleuve
qui va si loin que jamais homme
n'avait été jusqu'au bout
nous avons vu des terres
aussi unies que l'eau
pleines des beaux arbres du monde

Né le 26 juin 1938. Journaliste, il habite sur le Plateau Mont-Royal. *Écrivains contemporains. Entretiens 4 : 1982-1986,* essai, 1987. *La poésie québécoise contemporaine,* anthologie, 1987. *Poèmes d'amour,* poésie, 1988.

puis au milieu de ces campagnes
une ville toute ronde
clôturée de bois
tout près d'une montagne
tout autour labourée et fertile
cinquante maisons
longues d'environ cinquante pas
chacune avec ses âtres et ses chambres
au milieu à ras de terre un feu
pour vivre ensemble
et manger le pain *carraconny*
sans goût de sel
et dormir sur des écorces de bois
sous des couvertures de peaux de bêtes
castors daims et renards
cerfs et autres sauvagines »

3

« toujours quand la mort passe
pêcher *l'esnoquy* blanc comme neige
dans le fleuve en *cornibotz*
c'est-à-dire à même les corps entaillés
puis coulés au fond de l'eau
en deux lunes les *cornibotz*
au piège des incisions
chapelets de coquillages
à étancher le sang des narines
la plus précieuse chose du monde
si la vie est un voyage immobile »

4

Là je suis dépaysé
le fleuve tranquille de mes retours
dort au commencement de la ville
sous le pont Jacques-Cartier
le temps s'arrête et scintille
au miroir de mes veilles
je suis le voyageur de mes rêves

« Montréal est grand comme un désordre
universel » chante Gaston Miron
et je reconnais mon histoire
aux murs silencieux de ma ville
j'aurai la mémoire des noms
Émile Nelligan Robert Choquette
Marie Uguay Pierre Nepveu
« j'ouvre la porte
et j'entends la mer
dans Montréal »
deux fillettes dans la cour d'une école
font un serment « Nous parlerons comme on écrit »
raconte France Théoret au labyrinthe des solitudes
la marche cette infinie dérive contre toutes les morts

5

Entre le fleuve et la montagne
Montréal s'agrandit jusqu'aux anciens volcans
Rougemont Saint-Hilaire Saint-Bruno
la nuit bouge sur la rivière du Fouez
de nouveaux habitants font la chasse aux oiseaux

dans les hauts vols de buildings
le sens de vivre fuit le rattraper
par le langage dira Monique LaRue
par la mémoire je deviens
ce que je suis
la ville était en moi comme j'étais en elle

JEAN-YVES SOUCY

Le ciel de la ville

Pour l'observateur négligent, le ciel de Montréal n'est qu'une toile tendue au-delà des édifices, réplique agrandie d'un chapiteau de cirque. Tente gris-bleu les jours de soleil, blanc sale par temps couvert, et dont on n'entrevoit que des bandes et des rectangles au sommet des murs. Sur la piste, public et acteurs confondus, clowns, jongleurs, acrobates, magiciens, dompteurs et fauves, qui paradent, posent, s'exécutent et saluent, s'affairent à retenir des spectateurs afin de fuir l'anonymat. Masques et grimages, visages fermés, sourires inquiets, airs blasés, mais chez chacun, des yeux d'enfant qui guettent l'apparition du merveilleux.

Ciel minéral coiffant une ville de brique et de béton, toiture qui vibre des grondements de moteurs, résonne des coups de marteaux-pneumatiques, renvoie l'écho plaintif des sirènes. Comme autant de dinosaures resurgis d'ères anciennes, des grues promènent leurs cous squelettiques au-dessus des trottoirs, et le feulement des réactés semble sortir de leurs thorax d'acier. Tombe le soir, les réverbères enferment les humains sous une chape de lumière, les rues deviennent des couloirs voûtés. De part et d'autre, les néons d'une perpétuelle kermesse.

Mais, pour peu qu'on grimpe au niveau des cheminées, le ciel de Montréal regorge de vie. Une coupole

---

Né le 2 mars 1945. Écrivain, il habite sur le Plateau Mont-Royal. *Un dieu chasseur,* roman, 1976. *L'étranger au ballon rouge,* contes, 1981. *La buse et l'araignée,* roman, 1988.

géante, à la fois serre et volière. Mer d'arbres d'où émergent des îlots de pierre, de hauts récifs de cristal et de fer. Et le mont Royal, tsunami écumeux, menace de tout submerger. Une brise, des ailes peuplent la demi-sphère. Souvent aussi, des nuages qu'on dirait vrais et dans le relief desquels le regard discerne des figures de chimères, des animaux familiers. On pourrait se croire dans un habitat sous cloche de verre, une colonie terrienne implantée sur quelque monde hostile et vide.

Chaque strate du ciel abrite une faune particulière. Près du sol, moineaux, ménates, étourneaux et merles naviguent entre les obstacles. Au ras des toits roucoulants, les pigeons filent de leur vol ramé. Les fils électriques accueillent le faucon crécelle au plumage exotique, qui s'y repose de ses acrobaties aériennes. Fruits noirs aux branches faîtières des ormes et des liards, des corneilles croassent et s'interpellent de quartier en quartier.

Plus haut, des goélands somnolent et dérivent au gré des courants. Avec le soir, ils se regroupent en nuées spiralantes. S'y joignent les oiseaux quittant les parkings des fast-food où ils ont mendié. Puis ces nuages s'effilent, s'étirent, se brisent. En « v » ou à la queue leu leu, les goélands s'engagent sur ces routes invisibles que les générations précédentes ont tracées, depuis la carrière Miron jusqu'aux rivages où ils passeront la nuit.

C'est l'heure de la décrue sonore, l'heure où les bruits assourdis se fondent en un ronflement qui reflue entre les édifices pour stagner sur l'asphalte. Le ciel alors appartient à l'engoulevent. On voit d'abord son cri, un « pîîît » nasillard. En haute altitude, un rayon du soleil déjà sur l'horizon allume une plume, et l'œil surprend l'oiseau au moment d'une voltige. Le suit dans ses piqués vertigineux, ses glissades sur l'aile, remonte avec lui en chandelle, se repose enfin quand il fait du sur-place dans un ballet de rémiges. Ce n'est parfois qu'un petit point sur fond de cirrus rose et orange, une poussière sur la porcelaine citrine du ciel. À moins qu'il ne s'évanouisse dans le ventre noir d'un cumulus d'orage et que l'œil ne le perde de vue.

L'engoulevent commun règne sur les soirs de Montréal, et son chant ponctue l'insomnie des humains durant la canicule. Son espace, il ne le partage qu'avec les avions qui descendent vers Dorval et les bandes caquetantes d'outardes qui, au printemps et à l'automne, quelquefois survolent l'archipel.

Avec l'obscurité, la coupole s'efface ainsi que le dôme d'un planétarium au début d'une représentation. Le firmament acquiert de la profondeur, et le pinceau de lumière du phare de la Place Ville-Marie se perd dans l'immensité de l'univers qui s'ouvre alors. S'allument Véga, Capella, Arcturus ou Deneb ; se lèvent Jupiter, Mars ou Saturne. Tantôt apparaissent les lointaines lueurs d'une aurore boréale, tantôt une météorite déchire le tissu de la nuit.

Par ciel clair, se dessinent les constellations du temps des druides celtiques et des mages babyloniens. Les horizons s'éloignent, l'on découvre Montréal au centre d'une plaine d'ombre, dartre de lumière qui bosselle le flanc d'une planète dont on croit percevoir la rondeur. La terre tourne, les sommets des gratte-ciel labourent le cosmos. La lune se lève, et l'on se rappelle que Montréal voyage de conserve avec elle, file dans l'espace à trente kilomètres à la seconde, avec sa charge d'humains, de plantes et d'oiseaux.

L'édifice Royal-du-Fort (photo de M. de Jordy).

L'avenue du Parc, côté cour (photo de M. de Jordy).

ADRIEN THÉRIO

Au cœur de Montréal,
le carré Dominion

J'avais certainement vu le carré Dominion à quelques reprises avant 1974, mais ce petit coin de verdure au centre de la ville ne m'avait pas frappé plus qu'il ne faut. Ma première vraie rencontre avec ce Carré date donc de l'été 1974, alors que je suis venu m'installer à Montréal pour la durée d'un congé sabbatique. Peu après mon installation, rue Docteur-Penfield, je suis descendu jusqu'à la rue Sainte-Catherine, un dimanche soir, pour prendre le pouls de la ville. De la rue Sainte-Catherine, je me suis rendu aux abords du Carré. Il faisait très beau, le soleil était doux. Je me trouvais dans la partie nord du Carré quand j'ai vu une femme bien mise, qui marchait vite, dans une allée, accompagnée d'une adolescente et d'un garçon d'environ six ans qui suivait difficilement et semblait poser des questions. J'ai alors entendu la femme crier à son petit garçon : « Arrive en ville, toi ! » Je crois que c'était la première fois que j'entendais cette expression imagée. Je ne sais plus ce que j'ai fait du reste de cette soirée. Je ne me souviens même pas d'avoir marché le Carré de bout en bout. Mais je sais que, par la suite, je suis revenu de temps en temps, les vendredis ou samedis après-midi quand il faisait beau, me reposer à l'ombre, sur un banc du Carré.

Né le 15 août 1925. Professeur, il habite sur le Plateau Mont-Royal. *La colère du père,* roman, 1974. *La tête en fête,* contes, 1978. *Marie-Ève, Marie-Ève,* roman, 1984.

J'avais l'impression, quand j'étais dans ce parc, d'être vraiment au centre de Montréal. Et puis, un bon jour, je me suis mis à regarder les alentours du parc.

Plaçons-nous au coin de Dorchester et Peel et faisons un petit tour d'horizon. En face de nous, un des plus beaux buildings de Montréal, celui de la Sun Life. En tournant un peu les yeux vers le nord, nous voyons l'édifice du carré Dominion dont la façade, de l'autre côté, donne sur la rue Sainte-Catherine. C'est un édifice assez compact qui vaut d'être regardé à une certaine distance si on veut bien voir ses trois rangées de toits superposés ou presque, peints en vert. On est en train, du côté du Carré, de le défigurer pour accommoder un institut de tourisme. On a, à cette fin encore, détruit la partie nord du Carré où l'on trouvait deux petites rues et des parkings, pour tout remplacer par du béton. Ici, on refait souvent en plus laid et la ville semble encourager cette sorte de bêtise.

Du côté ouest du carré Dominion, rue Peel, il y a sept ou huit maisons qui abritent des boutiques ou des restaurants qui ne paient pas d'apparence mais, au sud de la petite rue Cypress, se trouve le nouveau *Windsor* qui est tout ce qui nous reste de l'ancien hôtel *Windsor*. Ce dernier prenait toute la place occupée maintenant par la Banque impériale canadienne de commerce, coin Peel et Dorchester. On a agrandi cet édifice l'an dernier en respectant les données du premier architecte. Le nouveau *Windsor,* même s'il ne s'agit que des dépendances de l'ancien hôtel, est un très bel édifice. Quant à la banque elle-même, cette *boîte* carrée qui s'élève à plus de quarante étages dans le ciel, c'est le seul building dont je me passerais dans cet espace privilégié. Au sud du boulevard Dorchester, un nouveau building tout en verre, celui de la Laurentienne, fait très moderne et ne dépare rien autour de lui. Plusieurs édifices du Carré se regardent dans ses glaces et, vers la fin du jour, en été, les jeux de miroir sont très beaux. Au sud de la Laurentienne, on peut admirer la belle petite église anglicane Saint-George, en vieilles pierres grises. Lui faisant face, au sud de la rue de La Gauchetière, c'est la gare du Pacifique, en pierre gris pâle avec ses tours et ses tourelles. Deux édifices qui nous reposent des gratte-ciel d'aujourd'hui.

Tournons-nous un peu vers l'est. L'*Hôtel Champlain* fait face à la partie sud du carré Dominion. Il y a des gens qui n'aiment pas cet hôtel mais, je trouve, personnellement, qu'il n'est pas déplaisant à voir et je ne lui en veux pas d'être là. Revenons à notre position de départ. Nous avons devant nous la cathédrale de Montréal, sur laquelle trônent le Christ et les douze apôtres, comme à Saint-Pierre de Rome. Ignace Bourget, deuxième évêque de Montréal, avait prévu que la ville se développerait davantage dans l'ouest. À cet effet, il a décidé, après l'incendie de la cathédrale Saint-Jacques en 1852, de déménager la cathédrale à son emplacement actuel. Il avait vu juste. Et Ignace Bourget est là, devant sa cathédrale, statufié, le bras levé comme s'il voulait encore sermonner ses ouailles. C'est un des grands bâtisseurs de Montréal et il est juste qu'on lui ait élevé un monument à cet endroit, à quelques pas de ceux des premiers ministres Laurier et Macdonald.

De l'endroit où nous sommes, si nous regardons droit vers le nord, nous apercevons le mont Royal qui se trouve à quatre coins de rue de nous. Nous sommes donc, en plein centre de Montréal, à côté du grand parc qui permet à la ville de mieux respirer. En été, on a l'impression que les arbres du parc sont ses gardiens. Le bruissement des feuilles invite au repos. Je sais que les arbres du mont Royal ou du parc Lafontaine sont plus beaux que ceux du carré Dominion. Mais, au cœur de la ville, cette poignée d'arbres met de la douceur dans l'air. Hélas, dans la belle saison, on rencontre trop d'indésirables dans le Carré.

Qu'y a-t-il de plus ici que des arbres, des allées et des bancs ? Il y a des monuments. Six en tout. Dans la partie nord du Carré, faisant face à la rue Peel, il y a un monument à la gloire du poète Robert Burns, 1837-1869. Il a été érigé là par ses admirateurs. C'est inscrit dans la pierre.

Au milieu de la partie nord du parc, le monument le plus important du Carré. Un bloc de pierre surmonté d'un cheval fringant et d'un soldat qui semble décidé à vendre chèrement sa peau. C'est un monument qu'on a élevé à la mémoire des soldats qui ont répondu à l'appel de Lord Stratcona et ont formé un régiment qui est allé seconder les efforts de guerre de l'Angleterre en Afrique du Sud, au siècle dernier. Dans cette partie du parc, plus au sud, tout près du boulevard Dorchester se trouve le monument Laurier. La statue de l'ancien premier ministre est placée devant une stèle en pierre, au haut de laquelle nous voyons, gravés dans la pierre, les traits d'un homme et d'une femme les mains pleines de gerbes et de lauriers. Derrière la stèle, deux lauriers encadrent les effigies des neuf provinces du Canada d'alors.

Le monument Macdonald, situé dans la partie sud du parc, fait presque face à celui de Laurier, mais il est beaucoup plus imposant. La statue de Macdonald est placée sous une sorte de baldaquin soutenu par quatre piliers formés de triples colonnes. Ce baldaquin est couronné par une statue de femme autour de laquelle se trouvent sept statues — si j'ai bien compté — de jeunes filles, au pied desquelles reposent quatre lions, un à chaque coin du baldaquin. J'imagine que la statue de la femme représente le Dominion du Canada, alors que les statues de moindre importance représentent les provinces. Plus à l'est, dans cette partie sud du parc, tout près de l'*Hôtel Champlain*, on a érigé un monument en pierre, en l'honneur des soldats morts pendant les guerres de 1914-1918, 1939-1945 et 1950-1953. Enfin, il y a, en face de l'entrée principale de l'édifice de la Sun Life, tout près du trottoir qui borde le Carré, un petit monument surmonté d'un lion couché. Il faut avoir de bons yeux pour déchiffrer les phrases inscrites dans la pierre qui nous apprennent que la Sun Life a érigé ce monument pour commémorer les soixante années de règne de la reine Victoria, à la fin du XIXe siècle.

Je ne crois pas que les gens se rendent au carré Dominion pour admirer les monuments dont je viens de parler. En dehors du monument central où aboutissent toutes les allées du parc, on passe probablement devant les autres en y jetant tout au plus un regard discret. On ne vient pas au Carré non plus pour admirer les édifices qui l'encadrent. Mais, quand on est sur place, pour peu qu'on prenne la peine de faire un petit tour d'horizon, on constate qu'on est, ici, au cœur de la ville, entouré d'un nombre impression-nant d'édifices qui sont parmi les plus beaux à Montréal. Se sont-ils donné le mot pour protéger ce petit parc qui permet à la ville de reprendre son souffle, en plein centre de l'action? Si on fait exception de la Banque impériale canadienne de commerce, il existe entre tous ces édifices une harmonie, un équilibre qu'on ne peut pas ne pas voir si on s'arrête et regarde.

Le carré Dominion, c'est une oasis au cœur de Montréal.

ÉLISE TURCOTTE

Les ciels du Plateau

LE JARDIN

Nous avons planté le bouleau comme une forêt. Nous avons planté les fleurs, en répétant les mots du début. Arbre, arc-en-ciel, avion.

Tout le monde est arrivé pour nous voir.

Nous avons pensé — ange, allumette — puis, nous avons regardé notre jardin. C'était une joie, comme de tourner les pages, comme de dire des choses qui n'existent pas.

Après, nous avons expliqué : ici, des passe-roses et des marguerites, comme dans les quartiers italiens.

La petite a dit les noms des autres fleurs. C'était quelque chose de fabuleux sur sa langue, dans cette ville.

Le ciel s'est ouvert et nous sommes parties.

LA RUE

Tout près de la rue Fabre, il y a tout ce qu'on aime. D'abord, le cylindre bleu-blanc-rouge du barbier. Nous l'adorons, parce que nous aimons toutes les choses qui tournent. Puis, les façades. Maisons de briques rouges,

---

Née le 26 juin 1957. Professeure, elle habite sur le Plateau Mont-Royal. *Dans le delta de la nuit,* poésie, 1982. *Navires de guerre,* poésie, 1984. *La voix de Carla,* poésie, 1987.

tulipes dans les parterres. Et dans les vitrines : rubans, chaises longues, robinets, affiches, cafetières, hibachis… Et les choses qui tournent : mobiles, toupies, planètes.

La petite se transforme avec les surfaces. Elle bat des mains. Elle trouve les mots du dictionnaire.

Dans le ciel, lignes blanches comme des sortes de nuages.

Nous marchons. Le vent s'installe sous nos robes.

LE PARC LAURIER

Maintenant, la couleur s'étend devant nous. Après-midi d'été, comme une bille à l'intérieur de Maria.

Nous bâtissons la mémoire. Les arbres nous entourent et tout peut arriver, ici, entre la piscine et les balançoires. Ici, au centre de cet après-midi d'été, les chagrins guérissent, les chagrins ne sont pas ce que nous pensions.

Nous disons ce que nous ne sommes pas — animaux, montagnes — avec la conscience unique de ce que nous sommes. Les événements sont glorieux auprès de Maria.

Objets qui tournent et qui volent. Nous sommes si seules, pour l'instant, rien ne nous sépare du monde. Plus tard, dans une heure, les formes vont s'élever sur le sable. Ce sera un monde. Des personnes parleront de l'amour difficile. Nous ne verrons pas la fin. Nous tremblerons encore pour une chose inconnue. La petite chantera, les pieds dans le ciel.

PIERRE TURGEON

Un adieu à Outremont

Adieu, Outremont, adieu! Forteresse dérisoire où j'ai retrouvé une seconde ville de Québec, le seul îlot de notre bourgeoisie nationale en dehors de la Grande Allée, plus jamais je ne planterai ma tente à l'ombre de tes remparts inexistants, plus jamais je ne mangerai ta crème glacée de chez *Robil,* en compagnie d'un condamné à mort qui réalisait là son dernier souhait.

Je marche sous le bruissement des grands arbres, dans les rues désertes parce qu'il fait beau ce week-end, et que presque tout le monde a une résidence secondaire. Dans le parc Joyce, un pivert percute avec acharnement le globe de tôle au sommet d'un réverbère; sur les escarpolettes vides, je me souviens de mes enfants qui se balançaient — plus haut, papa, plus haut! — et de la brusque détente de leurs jambes potelées et nues au bout de l'envolée, quand les chaînes, en grinçant, s'apprêtaient à me les ramener.

En dix-sept ans, ni moi ni Outremont n'avons changé, ou à peine : un peu de gris sur mes tempes, quelques cafés sur l'avenue Bernard. Pas de guerre, pas de chantiers. On rénove, et ces rues finalement sont plus vieilles que celles de Berlin. Ici, la vie me fut souvent légère, et le bonheur claquait sec comme une balle de tennis qu'on frappe d'aplomb. Mais justement les courts sont vides

---

Né le 9 octobre 1947. Journaliste et romancier, il habite à Outremont. *Prochainement sur cet écran*, roman, 1973. *La première personne,* roman, 1980. *Le bateau d'Hitler*, roman, 1988.

aujourd'hui. La population vieillit parce que les appartements coûtent trop cher pour les jeunes qui s'installent plus loin, en banlieue, ou sur le Plateau Mont-Royal. Mais je n'ai jamais eu le sens de l'à-propos, et c'est à quarante ans que je quitte ma belle snob intellectuelle couverte de diamants, ma ville de premiers ministres et d'écrivains, de Bourassa et de Brossard, de Trudeau et de Tremblay. Rue Van Horne, les pigeons qui hier nichaient sur les lettres géantes de l'enseigne du supermarché *Quatre Frères,* roucoulent sur le « i » géant du *Pharmaprix.*

C'est ma jeunesse que je laisse dans ces avenues où le flot humain coule à l'inverse de l'eau, vers la grande paix des stèles sous la lune, dans le cimetière là-haut. Adieu, Outremont, adieu, toi dont les arbres rougissent au printemps, comme le souhaitaient d'ingénieux botanistes ; je ne vivrai plus dans tes appartements lambrissés de chêne, avec des fenêtres à carreaux plombés et à vitraux, avec des plafonds si hauts qu'à mon arrivée ici, à vingt-trois ans, je m'amusais à les toucher en sautant, bras tendus.

Salut ! Outremont demeurée sans destin historique, capitale d'un empire évanescent, d'un Québec toujours imaginaire, où aurait pu habiter notre président, celui que nous aurions détesté, renversé, contre qui il aurait fait bon comploter, mais qui fut seulement la ville de nos commis voyageurs nationaux.

Outremont, souviens-toi de ta Côte-Sainte-Catherine, autrefois boulevard à péage, avec barrière et gardien, que sillonnaient à cheval des officiers aux fières moustaches, passant et repassant devant les dames élégantes, à petits atours et grandes crinolines, qui roulaient leurs ombrelles sur leurs épaules, au fond des calèches soulevant des nuages de poussières, et de cette maison bourrée à craquer de poudre à canon que des édiles finirent par désarmer, car on

216

craignait qu'un incendie ne fasse exploser tout le quartier, à l'ombre du mont Royal, où le matin le soleil se lève avec parfois une heure de retard. Je me meurs d'entendre la détonation qui nous éveillerait.

Je salue aussi mes fantômes, celui de Michel Beaulieu m'accueillant dans son appartement de la rue Stuart, avec son café, l'air maussade, la gitane puante, la robe de chambre tachée, me parlant de jazz et des yeux mauves d'une comédienne;

celui de cette voisine qui, de nuit, entendant un bruit suspect, s'était collée le nez à sa fenêtre : une barre de fer lui transperça le cou, lancée comme un javelot par un jeune cambrioleur, surpris en pleine effraction. Et moi, pendant des semaines, je n'osais plus m'approcher des fenêtres de ma maison, le soir;

celui d'Isabelle, la petite blonde de huit ans, que sa mère avait réveillée à l'aube pour lui donner un poison qui la vengerait de son mari — un tailleur qui m'a confectionné ce costume que je porte encore.

Adieu Isabelle partie derrière le miroir t'amuser avec les lièvres en retard et les reines noires, toi qui jouais dans la ruelle avec ma fille quand la foudre fit sauter un transformateur, le poteau d'électricité flambant dans la nuit, éclairant les voisins réunis, Isabelle et Emmanuelle en pyjama, se tenant par la main, en août 1978.

Adieu, Outremont que j'ai parcourue sans voir, dont je n'ai jamais rêvé, faut-il qu'enfin je te quitte pour que tu m'apparaisses? Fallait-il qu'on dynamite les cheminées de la carrière Miron pour qu'elles se dressent dans ma mémoire? Qu'on ferme le cinéma *Outremont* pour que je me mette à vouloir le hanter?

JOSÉE YVON

Trop de l'Est

Rose, de Rose-Délima sa mère, de sa chambre, en biais, regarde la boulangerie se convertir, s'agrandir.

Depuis la mort du grand-père Théodore le boulanger, on transforme son petit écueil de magasin, toute son enfance, en *Salaison Montréal*.

Finies les tartes de la tante Malice et l'immense comptoir gélatineux fantastechnicolor des bonbons à la cenne, les cornets à la napolitaine, dans l'odeur du pain frais.

Toute la famille avait gagné la paroisse Immaculée-Conception : « Il y a moins de bums », se répétaient-ils.

Elle seule a loué une petite chambre face à l'ancienne boulangerie et l'on peinture maintenant sous ses yeux en grosses lettres rouges sur le ciment du trottoir.

Fille de convenance, Rose n'accepte ni la pointure ni la hauteur du talon des souliers. Alignait son cœur sur le balcon.

Son petit lézard enchaîné au vieux frigidaire mort, les cordes à linge grincent, les chiens jappent.

La grosse Suzie au premier, toute tatouée de Tanguay, vient de donner un coup de pelle à son beau-frère, le soleil se lève dans la buée de la rue Ontario.

La petite Rose se réconforte dans ses dodus matins et cette

Née le 30 mars 1950. Écrivaine, elle habite dans le quartier Centre-sud. *Travesties-kakimaze*, récit, 1980. *Danseuses-mamelouk*, récit, 1982. *Maîtresses-cherokees*, récit, 1986.

araignée qui descend, non elle ne la tuera pas, signe de malheur.

Nonchalamment elle échappe son verre sur la galerie.

Le vieux Émile qui y dormait, crie :

— Vas-tu les ramasser tes jouets ?

Elle répond : — Pis toé la marde de tes chiens ?

— Je te l'enverrai par la malle, et il se rendort sur sa chaise en *arborite,* d'où coule la bouteille de cidre.

Rose surveille les nuages, les lavages, le poudrage, le colibri à l'aile blessée, le caniche avec ses vers intestinaux.

Les premiers chars commencent à péter ; Rose change de fenêtre en attendant le dépanneur *Regul,* toujours la premièrc cliente, le Bellini pour Mademoiselle.

À peu près temps, deux grosses *shots,* une cigarette : elle craint la journée qui s'annonce.

Passe la vieille Bett, la conversation niaise : elle attend Shoof qui ouvre la *Taverne Belhumeur.*

Quelques vieux déjà, sur les bancs, les premiers autobus.

Rose amène son Pomme-à-rien (poméranien) sur le balcon.

Peut-être qu'ils vont encore lui livrer *la Presse* par erreur ce matin.

La peur la serre tellement qu'elle cale toute la bouteille. Elle respire.

Rose a l'âme à sec. Peur morbide de l'agent du Bien-Être, M'ame Lavigne, M. Barbeau, M. Ernest, l'autre qui ressemble à Lucifer, Brousseau, Bonhomme, tant d'années de crainte…

Aussi les comptes pas payés, le téléphone condamné : elle se terre. L'heure du parfum.

Se versant une bière, elle lave l'assiette d'hier.

La pauvreté agresse telle la poussière du gyproc, patine de

poudre, cherche le tournevis pour fixer le *toaster,* mais rien n'a été déballé depuis tellement longtemps…

Et si la spatule casse, elle grattera la poêle avec l'économe. Et puisqu'elle est déjà voûtée comme un mandarin, pourquoi ne pas nettoyer avec une garcette?

Couvre son lit, une bien faible routine.

Connue elle laisse sa porte entrouverte, descend sur ses longues jambes et ses bas incandescents, chicane les enfants qui passent pour la garderie au mégahertz, jase un peu en regardant les petits tôtons blancs de la vendeuse de souliers à rabais qui lui promet de lui trouver quelque chose. Un bond au *pet shop,* parler aux animaux.

Vie ordonnée, nette, incertaine.

Non pas la Belhumeur à matin avec la fatigante à Bett, plutôt *la Taverne du Faubourg,* lire le *Journal de Montréal* avec le facteur.

Axée sur le vide, un petit drink apéritif à la *Brasserie Panet* avant la rituelle soupe chez *Joe's Pizzeria.*

Puis quelques heures à la *Brassade* en tétant un bock pour regarder la vue américaine «télévision payante» sur écran géant.

On est loin des boisés sauvages de la Rivière-des-Prairies.

Vérifier la *Champlain* pour se faire payer la traite : elle est déserte comme jamais. Ne reste que la *shot* à Ti-Cass à la *Brasserie Delorimier,* où avec sa langue agile de vingt-huit ans elle suce le *waiter* quotidiennement dans les toilettes, le «vide» comme il dit, et parfois quelques-uns de ses amis.

L'amour évaporé, bouche pleine de glands circoncis.

Depuis le soir de l'Épiphanie, elle marque à la craie près de son lit le nombre de fois… Elle a bien fait de suivre des cours de mime et d'expression corporelle : son corps bouge bien, elle aura encore sa bouteille pour la nuit.

À quatre heures, elle revient allégrement par la ruelle.
« Ils » ne viendront plus, pas ce soir, ni pour la fin de semaine ! Elle laisserait même la porte ouverte.
La fenêtre flashe l'enseigne de Molson, bleu rouge, rouge bleu, bleu rouge, rouge, rouge bleu, comme un mantra.
Le rouge flamboye tellement qu'elle sort nu-pieds jusqu'à Dorchester pour voir les pompiers.
Il n'y a rien qu'un mince filet de rue au fond d'une cour sale et ses néons pas catholiques.
Cette fois juillet brûle les pieds ; l'étouffement des poêles à gaz a cessé.
Elle ne jure que par la prudence
et l'extincteur s'est déchargé par défaut.
Le chat Philomène se roule d'une extase si peu galvanisée.
Non elle ne pleure pas mais la rage a pénétré son corps par tous les petits pores et l'enflamme peu à peu comme le Stromboli.

Et toutes les nuits elle guette, assise à la fenêtre, le bruit ralentir, le *People's* s'éteindre, l'arcade qui *flashe* de toutes ses motos jusqu'au *Montreal Tchopper,* les stroboscopes de l'arcade, ses *stars wars,* le *Tatouage du Québec* avec sa panthère illuminée, le *Rock Machine,* l'affiche démesurée du *Roi du matelas* d'un jaune mordant qui scande, qui scande. Il traîne encore quelques putains devant l'enseigne et ses cadrages sanglants.
Quelques *pushers* encore avachis devant l'arcade.
Les itinérantes s'engouffrent dans l'entrée du *Club des vété-rans* en gougounes de phantex.
Celui qu'elles appellent « le caporal » les chasse avec sa jambe de métal et sa béquille.
Les vociférations, les rugissements montent, des bonds,

des hurlements, des bousculades, des gifles, des cris, des insultes, des prières et des coups.

Elles crachent, lancent des cochonneries dans sa vitre et finalement vont se réfugier dans l'entrée de la lingerie « grosses grandeurs ».

Rose ne sait plus tenir sa chambre ; dans son maigre itinéraire, son territoire comme un mandala : elle rentre avec deux poireaux, sa bouteille, son linge sale.

Les quatre pharmacies la guettent, elle ne tient plus (Serax, Dalmanes, Librium, Ativan).

La cirrhose l'envahit, elle ne dort plus.

Ils l'ont amenée, elle si forte, si dure, elle volait des débarbouillettes au *People's* parce qu'elle avait chié sur la rue. Et personne n'est venu.

La propriétaire mal payée raconte des énormités : Rose garde un singe, des perroquets, chiens et chats, elle hurle tôt le matin, des douleurs rhumatismales.

Que faisons-nous pour les blessées.

Et les néons se rallument devant l'angoisse et la télévision.

La fameuse *Salaison* a brûlé au ras du sol pour se relocaliser en face.

Plus aucune trace de peinture rouge sur le ciment noirci.

TABLE

DÉJÀ PARUS

Cet ouvrage
a été achevé d'imprimer sur les presses
de l'imprimerie Gagné à Louiseville
en novembre 1988 pour le compte des
Éditions de l'Hexagone

Imprimé au Québec (Canada)